Œuvres & thèmes

Collection (
par Hélène

# Le Roman de Renart

classiques Hatier

Traduit par Micheline Combarieu de Grès et Jean Subrenat

**Un genre**
## Le conte médiéval

**Groupement de textes**
## La fiction animale
Apulée, Jean de La Fontaine, Marcel Aymé, Pierre Boulle

© Hatier
Paris 2002
ISBN 978-2-218-73920-0
ISBN 0184 0851

Évelyne Amon
certifiée de Lettres modernes

HATIER

## L'air du temps

# 1150-1250, *Le Roman de Renart* prend forme

En 1250, plusieurs versions du *Roman de Renart*, véritable feuilleton médiéval, circulent en France. L'histoire évolue et s'enrichit au gré de l'imagination fertile des trouvères ou des copistes.

Deux grands rois :
Philippe Auguste (1180-1223) chasse les Anglais hors de France et renforce le pouvoir royal ;
saint Louis (1226-1270), roi très chrétien, meurt lors de la dernière croisade.

# À la même époque...

■ Les études universitaires se développent. En 1257, Robert de Sorbon fonde l'université de la Sorbonne, à Paris.
■ Notre-Dame de Paris est en construction : il faudra presque un siècle pour achever la cathédrale (1163-1250).
■ Vers 1170, *Tristan et Iseut*, premier roman d'amour de la littérature française, séduit les dames, les demoiselles comme les chevaliers.

# Sommaire

Introduction 4

**Première partie**

## Le Roman de Renart
### (fin XIIe - fin XIIIe siècle)

Texte 1 **Le vol des poissons** 10

Texte 2 **La pêche à la queue** 16

Texte 3 **Ysengrin dans le puits** 26

Texte 4 **Renart, Tibert et l'andouille** 38

Texte 5 **Renart et la mésange** 47

Texte 6 **Renart et Tiécelin le corbeau** 54

Texte 7 **Renart condamné à mort** 60

Texte 8 **Renart, gardien du royaume** 70

Texte 9 **La guerre** 77

Texte 10 **Renart empereur** 85

Texte 11 **La mort de Renart** 91

Questions de synthèse 99

**Deuxième partie**

## Groupement de textes :
## la fiction animale

Apulée **L'Âne d'or** 102

Jean de La Fontaine **L'Âne et le Chien** 108

Marcel Aymé **La patte du chat** 112

Pierre Boulle **La Planète des singes** 121

Index des rubriques 127

Introduction
# La littérature du Moyen Âge

## Le Moyen Âge

Faites un effort d'imagination : transportez-vous très loin dans le passé, entre le Xe et le XIIIe siècle : c'est le Moyen Âge, l'époque de la société féodale, le temps des châteaux forts, des chevaliers et des tournois.

Le roi de France est le plus puissant seigneur du royaume. Il tient sous sa dépendance des grands seigneurs qui lui doivent obéissance et loyauté. Chaque seigneur (le suzerain) possède un territoire et un château. Il vit entouré de sa cour, assemblée de chevaliers (ses vassaux, appelés aussi ses barons) pleins de courage, de sagesse et de noblesse, qui s'engagent par un serment solennel à lui être fidèles et à défendre ses intérêts. En échange de leur foi, le seigneur leur accorde un fief, c'est-à-dire une terre. Il leur assure également protection et assistance.

## L'ancien français

En ce temps-là, la langue française est complètement différente de celle que l'on parle aujourd'hui. On écrit sur des parchemins, avec des plumes trempées dans des encriers. L'imprimerie n'existe pas : tous les livres sont écrits à la main. Le latin est la langue des gens cultivés. Mais il est concurrencé par le « roman », français parlé de l'époque que l'on appelle aujourd'hui « ancien français ».

## Un public passionné d'histoires

À cette époque, les gens aiment entendre raconter des histoires : dans leurs châteaux, les seigneurs accueillent jongleurs et trouvères, ces artistes et poètes qui viennent chanter des poèmes appris par cœur. Dans les cours seigneuriales, le public est particulièrement friand de récits contant les exploits des chevaliers les plus célèbres, comme Roland ou Lancelot du Lac. Mais il apprécie aussi les histoires d'amour comme celle de Tristan et Iseut.

Dans les villes et dans les campagnes, cependant, les bourgeois et les paysans préfèrent rire avec les fabliaux, ces petits contes comiques (souvent grossiers) et surtout avec *Le Roman de Renart*, véritable feuilleton qui met en scène un personnage sans foi ni loi, le célébrissime Renart.

## Des auteurs anonymes

Au Moyen Âge, les histoires que l'on raconte existent d'abord dans une tradition orale, ce qui signifie qu'elles sont transmises oralement et non par l'écriture : les poètes qui parcourent la France ont ainsi un répertoire de plusieurs histoires qu'ils racontent devant un public d'amateurs passionnés. Mais fréquemment, dans l'enthousiasme du récit, ils introduisent des changements, inventent de nouveaux épisodes, si bien que l'histoire racontée n'est jamais tout à fait la même.

À partir du Xe siècle, ces histoires commencent à être transcrites sur des parchemins. Les « copistes » (ceux qui copient les manuscrits) mettent ainsi par écrit telle ou telle version des histoires célèbres de l'époque. Et, se prenant quelquefois au jeu, ils modifient à leur tour certains épisodes ; ils ajoutent, suppriment au gré de leur inspiration personnelle ! Si bien qu'il existe de chaque histoire plusieurs versions différentes, sans que l'on sache, la plupart du temps, qui est l'auteur de l'histoire originale.

*Le Roman de Renart* appartient à cette tradition : excepté pour quelques épisodes, on ne sait pas qui l'a écrit. En revanche, on est sûr que de nombreux auteurs ont participé à sa création.

# Le Roman de Renart (fin XIIe — fin XIIIe siècle)

### Un recueil de contes médiévaux

*Le Roman de Renart* n'est pas un « roman » au sens moderne du terme : il se présente en fait comme un recueil de contes indépendants les uns des autres, composés entre la fin du XIIe et du XIIIe siècle. Chaque conte développe une histoire riche en péripéties. L'action répond à deux objectifs principaux : faire rire et faire réfléchir.

Ces textes que l'on appelle des « branches » ont été écrits en vers de huit syllabes (octosyllabes) et en langue romane, c'est-à-dire en ancien français (d'où le nom de « roman »). Chaque branche raconte un épisode des aventures de Renart, le personnage principal. Le roman compte à peu près cent mille vers.

Pour mettre ce texte écrit en ancien français à la portée des lecteurs d'aujourd'hui, des traducteurs en ont actualisé la langue : vous lirez donc ici une traduction en prose et en français moderne.

### La fiction animale

*Le Roman de Renart* met en scène des animaux. Cette « ruse » permet aux auteurs de critiquer indirectement le caractère et la conduite des hommes, et de faire vivre sous nos yeux la société du Moyen Âge.

La fiction animale repose sur une technique d'écriture appelée personnification, procédé par lequel l'auteur donne à des animaux des traits humains : ainsi, les animaux du *Roman de Renart* pensent, parlent et rient comme des personnes.

### Un héros : Renart

Dans la fiction animale, Renart a tous les attributs d'un baron (ou vassal) : il possède une terre et un château ; marié et père de famille, il est très attaché à son lignage, c'est-à-dire aux membres de sa famille ; il est chrétien. Toutefois, il déshonore cette belle image de la noblesse féodale par sa conduite criminelle : Renart ne respecte rien ni personne, pas même le roi Noble le lion, son suzerain. En toute situation, il met au service de ses intérêts un trait de caractère qu'il tient de son origine animale : la ruse.

### Un monde fantastique

Dans *Le Roman de Renart*, la métamorphose des animaux en hommes n'est pas complète. Les personnages appartiennent souvent au double registre animal et humain. Les auteurs se montrent en effet très libres dans leur création : Renart, par exemple, qui s'exprime comme un être humain, est cependant décrit comme un voleur de poules, rusé et doté d'une belle fourrure rousse comme un vrai renard. Il arrive même que certains animaux restent de simples bêtes : c'est le cas des chiens de chasse qui poursuivent Ysengrin dans l'épisode de la pêche à la queue ou des chevaux sur lesquels galopent les chasseurs. Ce jeu autour de la personnification crée un monde fantastique dans lequel la seule règle n'est pas celle de la logique, mais celle de l'imagination.

### Un récit d'aventures

Chaque branche du roman présente une ou plusieurs aventures dont le moteur est souvent la faim, quelquefois la vengeance et toujours la ruse de Renart. Ces thèmes constituent le ressort des différentes péripéties qui rythment chaque épisode : ils mettent en place des motifs qui réapparaissent fréquemment d'un épisode à l'autre, comme celui du trompeur trompé.

## Un récit comique

On trouve dans *Le Roman de Renart* tous les degrés du comique. S'adressant en premier lieu à un public populaire, les auteurs n'hésitent pas à utiliser les ficelles les plus grossières du comique, comme l'insulte et les coups.

Cependant, les auteurs pratiquent aussi la satire, procédé comique qui leur permet de critiquer les femmes, les moines, le pouvoir, en s'en moquant. Imitation bouffonne d'une pratique sociale, la parodie quant à elle permet aux auteurs de ridiculiser la justice et de faire une caricature des romans de chevalerie très en vogue à l'époque.

## Un narrateur très présent

Le conteur se manifeste fréquemment : il commente la conduite des personnages, anticipe sur l'action à venir, refuse de raconter certains épisodes intermédiaires, prend à témoin son lecteur. Signalant sa présence par le pronom « je », il s'adresse directement à un « vous » qui n'est autre que son public. Il s'établit ainsi entre le narrateur et son lecteur une complicité qui se construit autour des faits et gestes de Renart.

Première partie

# Le Roman de Renart

Texte 1

# Le vol des poissons

Seigneurs, c'était le temps où la douce saison d'été s'achève et où l'hiver revient. Renart était chez lui mais il avait épuisé ses réserves : il y va de sa vie. Il n'a plus rien à se mettre sous la dent, ni rien non plus pour acheter à manger. La nécessité
5  le met en route. Il progresse avec précaution, pour ne pas être repéré, à la lisière du bois, à travers les joncs du bord de l'eau, et finit par atteindre un chemin empierré où il se tapit, tournant la tête en tous sens sans savoir dans quelle direction se mettre en quête de nourriture. La faim lui mène une
10  guerre sans merci et il se demande avec inquiétude ce qu'il va bien pouvoir faire.

Il se couche alors au pied d'une haie attendant les événements. Or, voici qu'approchent à vive allure des marchands qui convoyaient un chargement de poissons de mer. Ils avaient
15  des harengs frais en quantité (le vent du nord avait soufflé toute la semaine passée), et aussi plein leurs paniers d'autres bons poissons, gros et petits. Leur charrette était en particulier chargée de lamproies[1] et d'anguilles qu'ils avaient achetées en route dans les villages. Renart, qui n'a pas son pareil
20  pour tromper les gens, était à une portée d'arc[2] au moins. À la vue de la charrette pleine d'anguilles et de lamproies, il se dépêche de se rapprocher, se cachant pour ne pas être vu, afin d'être mieux en mesure de tromper les marchands. Il se couche au milieu du chemin et voici comment il s'y prend
25  pour les attraper : allongé de tout son long sur une touffe d'herbe, il fait le mort. Lui qui s'y entend à tromper son monde, est là, les yeux fermés, babines retroussées et retenant

| **1.** Poissons ayant l'apparence d'une anguille. | **2.** Deux cents mètres environ.

sa respiration. Vit-on jamais pareille fourberie[3] ? Il reste donc
gisant à terre tandis qu'arrivent les marchands, sans méfiance.
30 Le premier à l'apercevoir l'examine avant de s'écrier à l'adresse
de son compagnon : « Regarde, c'est un goupil ou un chien. »
Et l'autre, qui l'a vu, à son tour de répondre : « C'est un goupil,
va le prendre, allez ! Mais fais attention, maudit gars, qu'il
ne t'échappe pas ! Il sera bien malin, ce Renart, s'il arrive à
35 sauver sa peau. »

Suivi de son compagnon, le marchand s'avance rapidement
jusqu'à Renart ; ils le trouvent toujours ventre à l'air et le
retournent de tous côtés, sans crainte, persuadés qu'ils ne
courent aucun risque d'être mordus. Ils évaluent la peau de
40 son dos puis de sa gorge : selon l'un, elle vaut trois sous[4], mais
l'autre renchérit : « Dieu garde ! À quatre sous, elle serait bon
marché. Nous ne sommes pas trop chargés, mettons-le sur
notre charrette. Regarde donc comme sa gorge est blanche et
sans taches. »

45 À ces mots, ils se décident et le jettent sur leur chargement,
puis ils reprennent leur chemin sans cacher leur commune
satisfaction. « Tenons-nous-en là maintenant, disent-ils, mais
ce soir, chez nous, nous lui retournerons sa veste. »

La plaisanterie leur paraît bonne, mais Renart ne s'en soucie
50 guère car il y a loin entre dire et faire. Couché à plat ventre
sur les paniers, il en ouvre un avec les dents et en retire, croyez-
moi si vous voulez, plus de trente harengs. Après cela, le panier
était quasiment vide, et Renart s'était joyeusement rempli l'estomac sans réclamer sel ni sauge[5]. Mais avant de s'en aller, il
55 va de nouveau lancer sa ligne, je vous le garantis. Il s'attaque
en effet à un autre panier, et, y plongeant le museau, en extrait
trois chapelets d'anguilles. Et comme il avait plus d'un tour

---

**3.** Tromperie.
**4.** Somme assez importante pour l'époque.

**5.** Herbe aromatique qui, avec le sel,
donne du goût aux aliments.

dans son sac, il passe la tête et le cou au travers puis les arrange
de manière à les rejeter sur son dos ; voilà qui lui permet d'ar-
60 rêter les frais. Mais il lui faut trouver un moyen de descendre
à terre sans marchepied. Il s'agenouille pour pouvoir examiner
comment calculer au mieux son saut. Puis il s'avance un peu
et, prenant appui sur ses pattes de devant, il s'élance du haut
de la charrette jusqu'au chemin, emportant son butin[6] autour
65 du cou. Une fois à terre, il crie aux marchands : « Dieu vous
garde ! Me voilà bien servi en anguilles, vous pouvez garder
le reste. » À l'entendre, ils n'en croient pas leurs oreilles. « Le
goupil ! » s'écrient-ils. Puis ils sautent sur la charrette, pensant
y prendre Renart qui n'avait guère songé à les attendre, ce qui
70 fait dire à l'un d'eux : « Nous l'avons bien mal surveillé, je
crois. » « Voilà ce que c'est que d'être trop sûr de soi », s'ex-
clament-ils en levant les mains au ciel. « Nous faisons une belle
paire d'imbéciles : ne pas nous être méfiés de Renart ! Il a bien
allégé les paniers ; le poids n'y est plus. Il emporte deux chape-
75 lets d'anguilles. La peste soit de lui ! Diable de Renart, qu'elles
vous restent dans la gorge ! »

« Je n'ai aucune envie de me disputer, seigneurs, dites ce
qui vous plaira ! Moi, Renart, je ne vous répondrai pas. »

Les marchands se précipitent derrière lui, mais ce n'est pas
80 aujourd'hui qu'ils l'attraperont car son cheval est trop rapide.
Il file au travers d'un vallon et ne s'arrête qu'une fois arrivé à
un enclos. Quant aux marchands, tout penauds, ils aban-
donnent la poursuite, s'avouant vaincus, et reviennent sur
leurs pas.

85 Pendant ce temps, Renart qui s'était déjà tiré de situations
plus difficiles, se dépêche de regagner son château où les siens
l'attendent en triste état. Il franchit la barrière ; son épouse,
la jeune Hermeline, si courtoise[7] et noble, se précipite

---

| **6.** Ce qu'il a volé. | **7.** Charmante, bien élevée.

à sa rencontre, ainsi que Percehaie et Malebranche, les deux
frères, qui se jettent au cou de leur père. Celui-ci arrive à petits
sauts, le ventre gonflé et rassasié, rayonnant de joie, avec les
anguilles autour du cou. Mais, et qui songerait à s'en étonner,
il commence par fermer la porte derrière lui à cause du butin
qu'il apporte.

Voilà donc Renart de retour dans son château. Ses fils lui
font bel accueil et lui nettoient les jambes[8] ; puis ils écorchent
les[9] anguilles, les coupent en tranches et font des brochettes
avec des baguettes de coudrier[10] sur lesquelles ils les enfilent.
Le feu est vite allumé car ils ont une bonne réserve de bûches ;
ils l'activent en soufflant dessus de tous les côtés ; et une fois
les tisons[11] transformés en braise, ils y mettent les anguilles.

---

**8.** Dans sa course, Renart s'est sali les pattes.
**9.** Enlèvent la peau des.
**10.** Bois de noisetier.
**11.** Morceaux de bois dont une partie a brûlé.

# Repérer et analyser

## La situation d'énonciation

Identifier la situation d'énonciation, c'est se demander qui est l'énonciateur (qui parle), qui est le destinataire de l'énoncé, où et dans quelles circonstances cet énoncé a été exprimé. Le narrateur est celui qui raconte l'histoire. Il peut intervenir par des commentaires.

**1** À qui le narrateur s'adresse-t-il ? Justifiez votre réponse.

**2** Relevez un passage dans lequel le narrateur s'adresse à son public à la première personne.

## Le cadre spatio-temporel

**3** À quels indices voit-on que cette histoire se passe à la campagne ?

**4** En quelle saison se déroule-t-elle ?

## La progression du récit

**5** Dans quelle situation Renart se trouve-t-il au début du récit ? Appuyez-vous sur un champ lexical (mots et expressions se référant à un même thème).

**6** **a.** Quels personnages doit-il affronter ?

**b.** Quelle ruse Renart imagine-t-il ?

**c.** Quelles sont les péripéties successives de l'épisode ?

**7** Qui est le grand vainqueur de cette histoire ?

## La fiction animale

La fiction animale consiste à créer dans un récit un univers imaginaire où les personnages principaux sont des animaux. La fiction animale repose sur la personnification, figure de style qui consiste à donner à une chose ou à un animal des pensées et des comportements humains.

**8** Relevez tous les mots qui désignent le corps de Renart : lesquels pourraient s'appliquer à un être humain ? lesquels désignent sans aucun doute l'animal ?

**9** Relevez les mots et expressions par lesquels le narrateur caractérise Renart. Quelle image donne-t-il de lui ?

## Le comique

**10** Quels personnages se sont laissés berner ? En quoi cet épisode repose-t-il sur un comique de situation ?

## La visée

On appelle visée l'effet que l'énonciateur cherche à produire sur son destinataire.

**11** Quelle est la visée de cet épisode ?

# S'exprimer

### Utiliser la périphrase

« C'était le temps où la douce saison d'été s'achève et où l'hiver revient » (l. 1-2).

**12** Évoquez, en utilisant une périphrase, chacune des saisons.

# Étudier la langue

**13** **a.** Le texte que vous venez de lire est une traduction : en quelle langue est écrit *Le Roman de Renart* ? Pour répondre à cette question, reportez-vous à l'introduction (p. 4).
**b.** Aujourd'hui, qu'appelle-t-on un « roman » ?

# Se documenter

## Les renards

**14** À quelle espèce animale appartient le renard ? Quelle peut être la couleur de son pelage ? Dans quelles régions de France trouve-t-on des renards ? Quel est son cri ? Vous trouverez les réponses à ces questions dans l'article « renard » de votre dictionnaire, dans une encyclopédie ou dans un livre de biologie.
**15** Citez deux fables de La Fontaine qui mettent en scène un renard : sur quelles caractéristiques de l'animal ces textes insistent-ils ?

Texte 2

# La pêche à la queue

Pendant qu'ils s'occupaient de faire griller les anguilles, se présente Monseigneur Ysengrin qui avait erré un peu partout, depuis le matin, sans rien pouvoir attraper nulle part. Depuis combien de temps n'avait-il rien eu à se mettre sous la dent!
5 Il finit par traverser un terrain qui venait d'être défriché[1], tout droit en direction du château de Renart. C'est alors qu'il voit une fumée sortir de la cuisine où était allumé le feu sur lequel les fils de Renart tournaient les brochettes pour les faire cuire. Le loup, sentant cette odeur inhabituelle, se met à renifler et
10 à se pourlécher[2]. Il serait volontiers allé les aider si on avait voulu lui ouvrir la porte. Il s'approche d'une fenêtre pour voir ce qui se passe à l'intérieur, se demandant s'il pourra y entrer à force de supplications ou en faisant appel à l'amitié. Mais il n'aurait guère de chance d'y réussir car Renart n'est pas du
15 genre à accéder à une prière. Aussi s'assied-il sur une souche[3], les mâchoires douloureuses à force de bâiller de faim. Puis il court de côté et d'autre, regarde à droite, à gauche, sans trouver moyen de se faire ouvrir, lui qui n'a rien à donner, rien à promettre. Il se décide finalement à prier son compère
20 de bien vouloir lui donner, au nom de Dieu, un peu, ou beaucoup, de ce qu'il est en train de manger. Il l'interpelle donc par une ouverture :

« Seigneur, mon compagnon, ouvrez-moi la porte, je vous apporte de bonnes nouvelles ; vous verrez, vous aurez sujet de
25 vous en réjouir. »

---

**1.** Préparé pour la culture (dont on a enlevé les mauvaises herbes).
**2.** Se lécher les babines.
**3.** Ce qui reste du tronc quand l'arbre a été coupé.

Renart le reconnaît à sa voix, mais il fait la sourde oreille. Et Ysengrin, à l'extérieur, que la faim et les anguilles font saliver d'envie, s'étonne et répète : « Ouvrez, cher seigneur ! » Renart l'interroge en riant :

30 « Qui est là ?

– C'est moi, répond Ysengrin.

– Qui moi ?

– Votre compère.

– Nous avions peur que ce soit un voleur.

35 – Non, c'est moi, dit Ysengrin, ouvrez.

– Attendez au moins, répond Renart, que les moines qui viennent de se mettre à table aient fini de manger.

– Comment cela ? Il y a des moines ici ?

– Pas exactement, rétorque Renart. Que Dieu me protège

40 du mensonge ! ce sont des chanoines[4] de l'ordre de Tiron et je suis entré dans leur communauté.

– Nom de Dieu ! dit le loup, me dites-vous la vérité ?

– Mais oui, pour l'amour de Dieu.

– Alors, accueillez-moi en tant qu'hôte.

45 – Vous n'auriez rien à manger.

– Et pourquoi ? Vous n'avez rien ?

– Ma foi, si ! répond Renart, mais laissez-moi vous poser une question : ne seriez-vous pas venu encore pour mendier ?

– Non, je veux voir comment vous allez.

50 – Impossible.

– Pourquoi donc ?

– Ce n'est pas le moment.

– Dites-moi, n'étiez-vous pas en train de manger de la viande ?

– Vous voulez rire.

55 – De quoi se nourrissent donc vos moines ?

---

**4.** Membre du clergé. Les religieux sont réputés pour leur gourmandise (en langue familière, on dit « être gras comme un moine »).

– Pourquoi le taire ? Ils mangent des fromages frais et des poissons à grosses têtes. Saint Benoît[5] nous commande de ne pas nous restreindre davantage.

– Première nouvelle ! J'ignorais tout cela. Mais accordez-
60 moi l'hospitalité car je ne saurais où aller aujourd'hui.

– L'hospitalité ? Il n'en est pas question. Nul, s'il n'est moine ou ermite[6], ne peut loger ici. Allez-vous-en ; je vous ai assez vu ! »

À ces mots, Ysengrin comprend qu'il ne pourra pas entrer
65 chez Renart, rien n'y fera ! Que voulez-vous ? Il se résigne[7]. Pourtant, il lui demande encore : « Est-ce que c'est bon le poisson ? Donnez-m'en un morceau, rien que pour y goûter. Bienheureuses ces anguilles pêchées et apprêtées[8] pour que vous en mangiez ! »

70 Alors, Renart, jamais en reste quand il s'agit de jouer un mauvais tour, prend trois tronçons[9] d'anguille qui rôtissaient sur les charbons. Ils étaient si à point que la chair partait en morceaux. Il en mange un et en porte un autre à celui qui attend à la porte en lui disant :

75 « Approchez, mon compère, et prenez par charité de cette nourriture de la part de ceux qui espèrent vous voir moine un jour.

– Je ne suis pas encore sûr de moi ; mais pourquoi pas ? Quant à la nourriture, cher seigneur, donnez-la-moi vite. »

80 Renart la lui tend, l'autre la prend et n'en fait qu'une bouchée qui le laisse sur sa faim : « Qu'en pensez-vous ? » lui demande Renart. Le gourmand frissonne et tremble, il brûle d'envie : « Comment vous remercier, seigneur Renart ? Mais donnez-m'en encore un morceau, mon cher compère, un seul, pour
85 m'inciter à entrer dans votre ordre[10].

---

5. Fondateur d'une communauté religieuse, il a établi des règles que les moines respectent.
6. Religieux retiré dans un lieu désert.

7. Il renonce à satisfaire son envie.
8. Préparées.
9. Morceaux.
10. Communauté religieuse.

– Par vos bottes, reprend Renart, non sans arrière-pensées, si vous vouliez être moine, je ferais de vous mon supérieur, car je sais bien que tous vous éliraient prieur[11] ou abbé avant la Pentecôte.

90    – Vous vous moquez de moi ?

– Non, cher seigneur, par ma tête, j'ose vous le dire ; par saint Félix, vous feriez le plus beau moine du couvent.

– Aurai-je assez de poisson pour être débarrassé de ce mal qui m'a mis dans un tel état de faiblesse ?

95    – Autant que vous pourrez en manger. Ha ! Faites-vous seulement tonsurer et raser la barbe[12]. »

Ysengrin commence à grogner quand il entend parler d'être tondu.

« Ne m'en demandez pas plus, compère, et faites vite.

100    – Tout de suite ; vous allez avoir une belle et large tonsure, dès que l'eau sera chaude. »

La bonne farce que je vais vous raconter ! Renart laisse l'eau sur le feu jusqu'à ce qu'elle soit bouillante, puis il revient à la porte et fait passer à Ysengrin la tête par un guichet[13]. Le loup
105    tend le cou et Renart – la sale bête ! – qui n'en revient pas de sa sottise, lui jette à la volée l'eau bouillante sur la nuque. Ysengrin secoue la tête en grimaçant : triste mine que la sienne ! Il recule en criant : « Je suis mort, Renart ! Puisse-t-il vous en arriver autant aujourd'hui ! Vous m'avez fait une tonsure trop
110    large. »

Mais Renart lui tire une langue d'un demi-pied hors de la gueule :

« Vous n'êtes pas seul à l'avoir, seigneur. Tout le couvent la porte ainsi.

---

11. Supérieur d'un couvent.
12. Les moines doivent porter la tonsure, c'est-à-dire un petit cercle rasé au sommet de la tête. Il leur est interdit de porter une barbe.
13. Ouverture pratiquée dans la porte.

115    – Je suis sûr que tu mens.

– Non, seigneur, ne vous en déplaise. D'ailleurs votre première nuit doit être une nuit d'épreuves. Ainsi l'exige la Sainte Règle[14].

– C'est très volontiers que je me conformerai en tout à
120    l'usage. Vous auriez tort d'en douter. »

Renart reçoit sa promesse de ne lui faire aucun mal et de lui obéir en tout. À force de s'y appliquer, il finit par abrutir complètement le loup. Puis il sort par une ouverture qu'il avait pratiquée derrière la porte et va rejoindre aussitôt Ysengrin
125    qui se plaignait lamentablement d'avoir été rasé d'aussi près : il ne lui restait ni poil ni peau. Sans plus discuter, ils se rendent rapidement, Renart en tête, Ysengrin sur ses pas, jusqu'à un vivier[15] proche.

On était un peu avant Noël, au moment où on sale le
130    jambon. Le ciel était limpide et scintillant d'étoiles et le vivier dans lequel Ysengrin était supposé pêcher était si bien gelé qu'on aurait pu danser dessus. Il y avait seulement un trou, fait dans la glace par les paysans qui y menaient chaque soir leur bétail boire et se dégourdir les pattes. Ils avaient laissé là
135    un seau. Renart y arrive à bride abattue[16] et se tourne vers son compère.

« Approchez, seigneur, c'est là qu'il y a profusion de poissons et voici l'outil avec lequel nous pêchons anguilles, barbeaux[17] et autres bons et beaux poissons.

140    – Prenez-le d'un côté, frère Renart, demande Ysengrin, et attachez-le-moi solidement à la queue. »

Renart s'en saisit et le lui noue à la queue de son mieux. « Maintenant, frère, conseille-t-il, il faut rester sans bouger pour attirer les poissons. »

---

**14.** La règle du couvent, imposée aux moines.
**15.** Étang aménagé pour l'élevage du poisson.
**16.** Au grand galop, très rapidement.

**17.** Poissons d'eau douce dont la chair est succulente.

145  Il s'installe alors au pied d'un buisson, le museau entre les pattes, pour voir ce que l'autre va faire. Ysengrin est assis sur la glace, tandis que le seau, plongé dans l'eau, se remplit de glaçons de belle façon; puis l'eau commence à geler autour, et la queue elle-même, qui trempe dans l'eau, est prise par la

150  glace, si bien que lorsqu'Ysengrin entreprend de se relever en tirant le seau à lui, tous ses efforts restent vains; très inquiet, il appelle Renart car on ne va pas tarder à le voir: déjà le jour se lève. Renart dresse la tête, ouvre les yeux et jette un regard autour de lui.

155  « Tenez-vous-en là, frère, dit-il, et allons-nous-en, mon très cher ami. Nous avons pris assez de poissons.

– Il y en a trop, Renart; j'en ai pris je ne sais combien. »

Et Renart de lui dire tout net en riant: « Qui trop embrasse mal étreint. » C'est la fin de la nuit, l'aube apparaît, le soleil

160  matinal se lève, les chemins sont couverts de neige et Monseigneur Constant des Granges, un riche vavasseur[18], qui demeurait au bord de l'étang, est déjà levé, frais et dispos ainsi que toute sa maisonnée. Il prend un cor de chasse, ameute ses chiens et fait seller son cheval. Ses hommes, de leur côté,

165  crient et mènent force tapage[19]. Renart, à ce bruit, prend la fuite et se réfugie dans sa tanière. Ysengrin, lui, se trouve toujours en fâcheuse position, tirant désespérément sur sa queue au risque de s'arracher la peau. Elle est le prix à payer s'il veut s'échapper de là. Tandis qu'il se démène, arrive au

170  trot un valet[20] qui tient deux lévriers en laisse. Apercevant le loup bloqué par la glace et le crâne tondu, il se hâte vers lui et, s'étant assuré de ce qu'il a vu, se met à crier: « Au loup, au loup, à l'aide, à l'aide! » À ses cris, les chasseurs franchissent la clôture entourant la maison avec tous leurs chiens.

---

**18.** Terme de féodalité : vassal d'un vassal .
**19.** Font beaucoup de bruit.
**20.** Écuyer au service du seigneur.

175 Ysengrin est d'autant moins à la fête que Maître Constant qui
    arrivait derrière eux au triple galop de son cheval s'écrie, en
    mettant pied à terre : « Lâchez les chiens, allez, lâchez-les ! »
    Les valets détachent les bêtes qui se jettent sur le loup dont le
    poil se hérisse, tandis que le chasseur excite encore la meute.
180 Ysengrin se défend de son mieux à coups de crocs : que pour-
    rait-il faire d'autre ? Certes, il préférerait être ailleurs. Constant,
    l'épée tirée, s'approche pour être sûr de ne pas manquer son
    coup. Il est descendu de cheval et s'avance de façon à attaquer
    le loup par derrière. Il va pour le frapper mais manque son
185 coup qui glisse de travers et le voilà tombé à la renverse, le
    crâne en sang. Il se relève non sans mal et, furieux, retourne
    à l'attaque. Ce fut un combat farouche que celui-là. Alors qu'il
    vise la tête, le coup dévie : l'épée descend jusqu'à la queue
    qu'elle coupe net, au ras du derrière. Ysengrin en profite pour
190 sauter de côté et pour s'éloigner, mordant l'un après l'autre
    les chiens qui lui collent aux fesses. Mais il se désespère d'avoir
    dû laisser sa queue en gage[21] : pour un peu il en mourrait de
    douleur. Cependant, il n'y a plus rien à faire. Il fuit donc
    jusqu'au sommet d'une colline, se défendant bien contre les
195 chiens qui le mordent sans cesse. En haut du tertre[22], ses pour-
    suivants, épuisés, renoncent. Il reprend sans tarder la fuite à
    toute vitesse jusqu'au bois, en surveillant les alentours. Arrivé
    là, il jure bien de se venger de Renart et de ne plus jamais être
    son ami.

**21.** Abandonner, laisser en dépôt sa queue.
**22.** Petite élévation de terre, butte.

# Repérer et analyser

## La situation d'énonciation

**1** Qui est désigné par les mots « Monseigneur » (l. 2) et « Seigneur » (l. 23) ?

**2** Lignes 97 à 110, relevez :
– une phrase où le narrateur s'adresse directement au lecteur ;
– une phrase dans laquelle le narrateur commente la conduite de Renart.

## Le cadre

**3** En quelle saison l'action se déroule-t-elle ? Citez le texte.

## La progression du récit

> L'enchaînement des actions est marqué par des indications temporelles (alors, puis, ensuite…) ou logiques (car, donc…) appelées aussi connecteurs.

**4** Relevez lignes 6, 70, 123, 142 à 154, 187 à 199 les indications temporelles et logiques qui marquent l'enchaînement des actions.

**5** Quelles différentes actions s'enchaînent ? Quel est le personnage vainqueur ?

## Les relations entre les personnages

**6** Sous quel prétexte Ysengrin aborde-t-il Renart (l. 30 à 52) ? Relevez dans les lignes 30 à 50 une phrase par laquelle le renard montre qu'il a compris le manège du loup.

**7** Pourquoi Ysengrin accepte-t-il de devenir moine ? Quel trait de caractère son consentement met-il en évidence ? Par quel épisode ce trait de caractère est-il confirmé dans la suite du récit ?

## La fiction animale

### Les personnages

**8** **a.** Faites la liste de tous les animaux mentionnés dans le texte.
**b.** Par quel nom sont-ils désignés ?

**c.** Lesquels sont personnifiés ? lesquels restent des bêtes à part entière ?

**d.** L'un des personnages n'est pas un animal : lequel ?

### L'habitat

**9** « En direction du château de Renart » (l. 6) ;

« Renart [...] se réfugie dans sa tanière » (l. 165-166).

Quelle habitation, citée ici, renvoie à l'univers des hommes ? au monde animal ? En quoi l'association de ces termes est-elle amusante ?

### Les moyens de locomotion

**10** « Renart y arrive à bride abattue » (l. 135) : par quel moyen Renart se déplace-t-il ? Quel est l'effet produit ?

## Les éléments réalistes

### La vie religieuse au Moyen Âge

**11** Relevez au moins trois phrases qui donnent au lecteur des informations sur la vie des moines au Moyen Âge : que nous apprennent-elles ?

**12** Combien de fois le nom de Dieu est-il prononcé ? Que pouvons-nous en déduire sur la société du Moyen Âge ?

### La chasse

**13** D'après le texte, décrivez la façon dont se déroule une partie de chasse au Moyen Âge.

## La visée

**14** Quel effet le narrateur cherche-t-il à produire sur son public ? Appuyez-vous sur l'ensemble de vos réponses.

# Étudier la langue

**15 a.** Quel est le temps dominant dans ce récit ?

**b.** « Le ciel était limpide et scintillant d'étoiles » (l. 130) ;

« qui y menait chaque soir [...] les pattes » (l. 133-134).

Quelle est la valeur des verbes à l'imparfait dans chacune de ces propositions ?

# S'exprimer

### La caractérisation

**16** « Renart n'est pas du genre à accéder à une prière » (l. 14-15).

**a.** Trouvez un adjectif qui pourrait correspondre au trait de caractère mis en évidence dans cette expression.

**b.** En reprenant le procédé de cette phrase, exprimez les idées suivantes : Renart est rusé ; Ysengrin est naïf.

# Se documenter

### Le Moyen Âge

**17** *Le Roman de Renart* est un texte du Moyen Âge. En vous aidant de l'introduction (p. 4) et d'un livre d'histoire, donnez quelques informations sur cette période.

**a.** À quels siècles correspond le Moyen Âge ?

**b.** Citez dans l'ordre chronologique le nom des principaux souverains qui ont régné à cette époque en France.

**c.** Citez le titre d'une autre œuvre littéraire (poème, farce, chanson de geste ou roman) écrite au Moyen Âge.

## Texte 3
# Ysengrin dans le puits

Il vaut mieux que je vous raconte une histoire qui vous fasse rire car je sais bien qu'en vérité, vous n'avez pas la tête à écouter un sermon[1] ou une vie de saint[2]. Ce dont vous avez envie, c'est de quelque chose de distrayant. Faites donc silence, car je suis
5 en train[3] et j'ai plus d'une histoire qui en vaut la peine. On me prend souvent pour un fou, mais j'ai ouï[4] dire à l'école : la sagesse sort de la bouche du fou. Inutile d'allonger l'entrée en matière ! je vais donc vous raconter sans plus tarder un des tours – un seul ! – d'un maître ès ruses[5] ; il s'agit de Renart, ce
10 n'est pas moi qui vais vous l'apprendre. Personne n'est capable de le faire marcher alors que, lui, il envoie paître tout le monde ; depuis son enfance, il suit le mauvais chemin. On a beau le connaître, on n'arrive jamais à échapper à ses pièges. Il est prudent, astucieux ; il agit en catimini[6]. Mais, en ce monde, le
15 sage lui-même n'est pas à l'abri de la folie.

Voici donc la mésaventure qui lui est arrivée. L'autre jour, démuni de tout et tenaillé par la faim, il était en quête de nourriture. À travers prés, labours et taillis, il va, misérable et furieux de ne rien trouver à manger pour son souper : mais il
20 ne voit rien à se mettre sous la dent. Reprenant alors le trot, il gagne l'orée du bois où il s'arrête, bâillant de faim, s'étirant de temps à autre, tout maigre, décharné, et ne sachant que faire : c'est que la famine règne dans tout le pays. Ses boyaux se demandent bien dans son ventre ce que font ses
25 pattes et ses dents. Torturé par la faim, il ne peut retenir des

---

**1.** Discours de religion et de morale.
**2.** Au Moyen Âge, l'église présente les vies des saints comme des modèles de conduite.

**3.** Je suis en forme.
**4.** Entendu.
**5.** Maître en matière de ruses.
**6.** En secret.

gémissements de détresse et de désespoir. « Mais à quoi bon attendre, là où il n'y a rien à prendre ? » se dit-il. Sur ce, il parcourt tout un arpent[7], sans ralentir, en suivant un sentier, ce qui l'amène à un chemin de traverse. Tendant le cou, il aper-
30 çoit dans un enclos, tout près d'un champ d'avoine, une abbaye de moines blancs[8] avec une grange attenante qu'il décide de prendre pour cible. Elle était solidement construite avec des murs en pierre grise fort dure – vous pouvez m'en croire – et entourée d'un fossé aux bords escarpés[9] : impossible de s'in-
35 troduire dans un lieu si sûr pour y voler. Et pourtant, ce ne sont pas les victuailles qui y manquent ni en quantité ni en qualité. Quelle grange alléchante, et dont beaucoup ignorent jusqu'à l'existence. Et justement elle regorge des mets préférés de Renart : poules et chapons[10] engraissés à point. Il dirige
40 donc sa course de ce côté, s'avançant au milieu du chemin, impatient de passer à l'attaque. Pas question de traîner avant d'être arrivé à portée des chapons. Il ne s'arrête que devant le fossé, tout prêt à se jeter sur les poules et à empocher son gain. Mais là rien à faire ; il a beau tourner autour de la grange
45 au pas de course, il ne trouve ni passerelle, ni planche, ni ouver-ture. C'est à désespérer ! Cependant, tapi au pied de la porte, il constate qu'une petite trappe entrouverte laisse un passage qui lui permet de se faufiler à l'intérieur. Le voilà dans la place, où d'ailleurs sa situation n'est pas sans danger, car, si les moines
50 s'aperçoivent du mauvais tour qu'il veut leur jouer, ils le lui feront payer cher en le gardant lui-même en otage, tant il y a de malice en eux. Qu'importe ! qui ne risque rien n'a rien ! Renart s'introduit donc dans l'enclos et s'approche des poules tout en tendant l'oreille par peur d'être surpris, – car il sait

---

**7.** Environ un tiers d'hectare.
**8.** Moines cisterciens habillés tout de blanc (au contraire des bénédictins qui sont habillés de noir).

**9.** Très raides, abrupts.
**10.** Coqs châtrés, qui sont engraissés pour la table.

55 bien l'imprudence qu'il commet. La crainte d'être aperçu va même jusqu'à lui faire faire demi-tour : il ressort donc de la cour et regagne le sentier où il reste un moment dans l'expectative[11], mais le besoin fait trotter la vieille[12] et la faim qui continue à le tenailler le pousse à revenir sur ses pas pour
60 essayer de s'emparer des poules coûte que coûte. Le voilà donc de nouveau à pied d'œuvre. Il pénètre dans la grange par derrière, en faisant si peu de bruit que, ne s'apercevant de rien, les poules ne bougent même pas. En voici trois, perchées sur une poutre, qui n'ont plus longtemps à vivre. Notre chasseur
65 grimpe sur un tas de paille pour saisir ses victimes entre ses dents, mais ces dernières, sentant bouger la paille, sursautent et vont se tapir dans un coin. Renart les y poursuit, les accule[13] une par une dans l'encoignure et les étrangle toutes les trois. Les deux premières lui permettent d'avoir sujet de se lécher
70 les babines sur-le-champ, quant à la troisième, il a l'intention de la faire cuire. Aussi, comme, après avoir mangé, il se sent mieux, il entreprend de sortir de la grange en l'emportant. Mais au moment de passer la porte, notre maître ès ruses, poussé par la soif et voyant le puits au milieu de la cour, s'y
75 précipite pour y boire tout son saoul[14], mais il va en être empêché : en effet, arrivé au puits, il constate qu'il est large et profond. Et voici où l'histoire se corse[15] : il y avait deux seaux dont l'un montait lorsque l'autre descendait. Renart le malfaiteur s'appuie sur la margelle[16], mécontent, irrité autant
80 qu'embarrassé de ce contretemps. Regardant à l'intérieur, il voit son reflet dans l'eau et croit qu'il y a là au fond sa femme Hermeline qu'il aime tendrement. Aussi, rempli d'une douloureuse surprise à cette vue, il lui demande d'une voix forte :

---

**11.** En attente.
**12.** Proverbe signifiant qu'en cas de besoin, on dépasse ses propres limites.
**13.** Fait reculer.

**14.** Jusqu'à ce qu'il n'ait plus soif.
**15.** Devient plus intéressante.
**16.** Rebord du puits.

« Que fais-tu là-dedans, dis-moi ? » Sa voix résonne comme si
elle sortait du puits. En l'entendant, il redresse la tête et appelle
de nouveau. Le même phénomène se répète à son grand étonnement. Il saute alors dans le seau sans comprendre ce qui lui
arrive quand il se met à descendre. Le malheureux ! Ce n'est
qu'une fois tombé à l'eau qu'il se rend compte de sa méprise[17].

Le voilà aux cent coups de sa vie ! Il a fallu que le diable s'en
mêle pour qu'il en arrive là ! Il se tient agrippé à une pierre,
mais il préférerait être mort et enterré ! Le pauvre ! Il est à rude
épreuve : trempé jusqu'aux os, il est certes bien placé pour aller
à la pêche, mais il n'a pas la tête à rire et se demande comment
il a pu commettre une pareille bêtise.

Or, cette nuit-là, juste au bon moment, Ysengrin, poussé par
la faim, sortait d'un champ pour chercher à manger. De fort
méchante humeur, il se dirige au grand galop vers le logis des
moines, mais sans rencontrer aucune occasion favorable.
« Diable de pays ! se dit-il, où on ne trouve rien de bon à se
mettre sous la dent et même… rien du tout. » Sans hésiter, il
court vers le guichet[18] et arrive au trot devant la maison. Sur
son chemin, se trouve le puits au fond duquel Renart le rouquin
se débat. Ysengrin, partagé entre le souci et l'irritation,

Ysengrin s'accoude à la margelle du puits et se penche… Miniature du XIVᵉ siècle.

105  va s'accouder à la margelle. Et là, en se penchant et en regardant avec attention exactement comme avait fait Renart, il aperçoit son propre reflet. Il croit que c'est dame Hersent[19] qui est installée là au fond, avec Renart, ce qui, vous pouvez m'en croire, n'améliore pas son humeur : « Me voilà donc
110  bafoué[20], déshonoré comme un moins que rien par ma femme que ce rouquin a enlevée pour l'emmener là avec lui. Ah ! le traître ! le bandit ! Abuser ainsi de[21] sa commère[22], sans que j'aie pu intervenir ! Mais si je le tenais, je me vengerais si bien de lui que je n'aurais plus jamais à le craindre. [...] je t'y prends
115  avec Renart », s'écrie-t-il à pleins poumons à l'adresse de son reflet. Et il se reprend à hurler tandis que sa voix résonne au fond du puits. Devant les lamentations d'Ysengrin, Renart ne bronche pas ; il lui laisse au contraire tout le temps de crier avant de l'interpeller :

120  « Qui est-ce, mon Dieu, qui m'appelle ? C'est ici désormais que je tiens mon école.

— Mais qui es-tu ?

— C'est moi, votre bon voisin ; autrefois, nous étions compères et compagnons. Vous m'aimiez plus qu'un frère.
125  Maintenant, on m'appelle feu[23] Renart qui fut le roi de la ruse et du mauvais tour.

— Voilà qui va mieux ! Mais depuis quand es-tu donc mort, Renart ?

— Depuis quelque temps. Mais pourquoi s'en étonner ? Ainsi
130  mourront également tous les vivants. Il leur faudra passer de vie à trépas[24] le jour qu'il plaira à Dieu. Notre Seigneur qui m'a délivré de cette vie de douleur garde maintenant mon âme. Je vous supplie, très cher compagnon, de me pardonner de vous avoir mis en colère l'autre jour.

---

**19.** La femme d'Ysengrin.
**20.** Ridiculisé.
**21.** Séduire ainsi.
**22.** Voisine et amie.
**23.** Mort depuis peu de temps.
**24.** La mort.

135 – Bien sûr ! je vous l'accorde. Recevez mon pardon, cher compère, ici devant Dieu. Mais votre mort m'attriste.

– Moi, je n'en suis pas mécontent.

– Tu t'en réjouis ?

– Mais oui !

140 – Et pourquoi donc, cher compère, dis-moi ?

– Parce que si mon corps est dans le cercueil auprès d'Hermeline dans ma tanière, mon âme est en Paradis, assise aux pieds de Jésus. Ici, il ne me manque plus rien, mon ami ; mais c'est que je n'ai jamais péché par orgueil. Alors que toi,

145 tu es au royaume de la terre, moi, je suis au ciel. Ici, ce ne sont que champs, bois, plaines, prairies. Quelle abondance ! Ah ! Si tu pouvais voir tous ces troupeaux, ces brebis, ces chèvres, ces bœufs, ces vaches, ces moutons, ces éperviers, ces vautours, ces faucons ! »

150 Ysengrin jure par saint Sylvestre qu'il voudrait y être.

« Un moment ! fait Renart, vous ne pouvez pas y entrer comme ça. Le Paradis est un lieu spirituel[25] qui n'est pas donné à tous. Toute ta vie, tu as été fourbe, traître, menteur, trompeur. Tu n'as pas eu confiance en moi au sujet de ta femme.

155 Et pourtant, j'en prends à témoin le Dieu Saint, [...] je ne lui ai jamais manqué de respect. [...] Par le Seigneur qui m'a créé, c'est la vérité que je te dis.

– Je te crois et je ne t'en veux plus, sans arrière-pensée ; mais fais-moi entrer.

160 – Pas question ! Nous ne voulons pas avoir d'ennui. Vous voyez cette balance ? »

Seigneurs, écoutez la suite : c'est à n'en pas croire ses oreilles. Du doigt, Renart montre le seau au loup et parvient, à force d'adresse, à le persuader qu'il s'agit de la balance qui sert à

165 peser les bonnes et les mauvaises actions.

---

| **25.** Qui n'appartient pas à la réalité, qui est du domaine de l'esprit.

« Par Dieu le Père, qui est Pur Esprit et Toute-Puissance, quand le bien pèse assez, celui qui est assis sur le plateau descend jusqu'ici, et tout le mal qu'il a commis reste en haut. Mais personne ne pourra jamais descendre sans s'être confessé,
170 je te le dis en vérité. As-tu avoué tes péchés ?

– Oui, à un vieux lièvre et à une chèvre barbue, dans un esprit de sincérité et de sanctification[26]. Fais-moi vite entrer, compère. »

Renart se prend à le regarder : « Alors, il vous faut adresser
175 à Dieu de ferventes[27] prières pour qu'il vous pardonne en vous accordant la rémission[28] de vos péchés. À cette condition, vous pourrez être admis ici. »

Ysengrin, plein d'impatience, se tourne cul à l'est, tête à l'ouest[29] et commence de chanter à tue-tête. Renart, – il n'a
180 pas fini de nous étonner, celui-là, – se trouvait au fond du puits, dans le seau où il était entré, poussé par le diable assurément. Quand Ysengrin lui dit qu'il a terminé sa prière, il répond que, de son côté, il a achevé son action de grâces, ajoutant : « Vois-tu le miracle de ces cierges qui brûlent devant mes yeux,
185 Ysengrin ? Dieu t'accordera son pardon et te remettra[30] généreusement tes péchés. »

Sur quoi, Ysengrin fait descendre le seau jusqu'à la margelle et saute dedans à pieds joints. Comme il était plus lourd que Renart, il descend et voici leur dialogue :

190 « Pourquoi t'en viens-tu, compère ? » demande Ysengrin. Et Renart de lui répondre : « Ne fais pas cette tête-là, je vais te dire : l'un vient, l'autre s'en va. C'est l'usage. Moi, je monte au Paradis, tandis que toi, tu descends en enfer. Toi, tu vas au diable et moi, je lui ai échappé. Tu es tombé au trente-sixième

---

**26.** Pour être sanctifié, c'est-à-dire pour devenir un saint.
**27.** Ardentes, enthousiastes.
**28.** Le pardon.

**29.** Les chrétiens prient en regardant vers l'orient, du côté de Jérusalem et donc en direction de l'est. Ici, Ysengrin présente son derrière à l'est !
**30.** Te pardonnera.

195 dessous et moi, je m'en sors. Te voilà renseigné. Par Dieu le
Père et le Saint-Esprit, en bas c'est le séjour des démons. »

Sitôt pied mis à terre, Renart se réjouit fort de sa victoire.
Mais c'est au tour d'Ysengrin de se trouver en fâcheuse
posture. Eût-il été fait prisonnier par les Infidèles[31] qu'il ne
200 serait pas plus à plaindre qu'il ne l'est au fond de son puits.

Seigneurs, apprenez que les moines s'étaient rendus malades
en mangeant des fèves germées et trop salées. Et leurs domes-
tiques, par paresse, avaient laissé le couvent manquer d'eau.
Mais le cuisinier, qui était responsable des vivres, avait repris
205 assez de forces au cours de la matinée pour se rendre au puits
d'un bon pas avec trois compagnons et un âne. Ils attachent
l'animal à la corde de la poulie pour qu'il puise l'eau, ce qu'il
entreprend de faire avec ardeur, houspillé[32] qu'il est par les
moines. À son grand dam[33], le loup était toujours en bas dans
210 l'autre seau où il s'était glissé. Mais l'âne n'était pas de force,
si bien qu'il ne pouvait ni avancer ni reculer malgré tous les
coups qu'il recevait ; jusqu'au moment où un moine, appuyé
sur la margelle, se penche pour regarder au fond. Voyant
Ysengrin, il crie aux autres : « Savez-vous ce que vous êtes en
215 train de faire, par Dieu le Père Tout-Puissant ? C'est un loup
que vous remontez du puits ! »

Et aussitôt, les voilà tous qui prennent leurs jambes à leur
cou et courent, affolés, jusqu'au couvent, laissant l'âne attaché
à la corde ; mais le martyre d'Ysengrin n'est pas fini pour
220 autant. Les frères[34] appellent des serviteurs ; cela ne va donc
pas s'arranger pour le loup. L'abbé saisit une grosse massue
noueuse et le prieur un chandelier. Tous les moines sans exception sortent du couvent, bâtons ou épieux en main, et se diri-
gent vers le puits, décidés à ne pas y aller de main morte.

---

**32.** Brutalisé, réprimandé.
**33.** À son détriment, malheureusement pour lui.
**34.** Les moines.

225 En ajoutant leurs forces à celles de l'âne, ils parviennent à faire remonter le seau jusqu'à la margelle. Ysengrin, sachant bien comment il va être accueilli, bondit aussi loin qu'il peut. Mais les chiens qui le talonnent lui lacèrent[35] sa pelisse en faisant voler des touffes de poil. Puis les moines le rattrapent et se

235 mettent à le rouer de coups. L'un d'eux l'atteint en plein sur les reins. Il passe un mauvais quart d'heure, s'évanouissant à quatre reprises. Finalement, à bout de forces et de résistance, il s'étend sur place et fait le mort. C'est alors qu'arrive le prieur (que Dieu le maudisse !), son couteau à la main, pour écor-

240 cher[36] l'animal. Il allait l'achever quand l'abbé intervient : « Laissez ! Sa peau n'en vaut pas la peine, tant elle a été mise en pièces par les coups que nous lui avons portés. Il ne fera plus la guerre et la terre vivra en paix. Rentrons. Ne vous occupez plus de lui. »

**Le cuisinier et ses trois compagnons attachent l'âne à la corde du puits**... Miniature du XIVe siècle.

| **35.** Déchirent, mettent en lambeaux. | **36.** Enlever la peau de.

# Repérer et analyser

## La situation d'énonciation

### Le prologue

Une courte introduction précède parfois un récit ou une pièce de théâtre : il s'agit d'un prologue.

**1** Délimitez les lignes qui constituent le prologue. Relevez la phrase par laquelle le narrateur commence à raconter les aventures de Renart.

**2** **a.** Quel portrait le narrateur brosse-t-il de lui-même ?
**b.** Quelle image donne-t-il de son public ?

### Le narrateur et le destinataire

**3** Le destinataire premier est-il un auditeur ou un lecteur ? Relevez ligne 34 une phrase précise qui justifie votre réponse.

**4** « Notre chasseur » (l. 64) : par quel procédé grammatical le narrateur associe-t-il le public à son récit ?

## Le cadre

**5** Citez les deux principaux lieux où se déroule cet épisode.

## La progression du récit

**6** Quelles sont les principales péripéties de cet épisode ?

**7** Relevez les mots et expressions qui montrent que Renart hésite à pénétrer dans la grange : que craint-il ?

**8** Pour quelle raison Renart finit-il par pénétrer dans la grange ? Relevez une phrase qui explique sa conduite.

**9** Par quel concours de circonstances Renart tombe-t-il dans le puits ? De quelle manière sort-il de ce piège ?

**10** Qu'advient-il d'Ysengrin ?

## La fiction animale

**11** Relevez les mots et expressions par lesquels le narrateur désigne Renart. Quelle image donne-t-il de lui ?

**12 a.** Retrouvez le passage dans lequel Renart décrit le Paradis.
**b.** Citez les mots qui montrent que cette description répond au point de vue de l'animal et non de l'homme. En quoi le discours de Renart est-il habile ?

**13** Caractérisez le comportement d'Ysengrin.

## Les éléments réalistes

### Le thème de la faim

Les hommes du Moyen Âge souffraient souvent de la faim. *Le Roman de Renart* porte la trace de cette préoccupation majeure.

**14 a.** Relevez les mots et expressions soulignant les effets de la faim :
– chez Renart avant son entrée dans la grange (l. 16 à 27) ;
– chez Ysengrin (l. 97 à 106).
**b.** Ordonnez les mots de ce relevé en deux séries : ceux qui suggèrent une misère physique d'une part, et ceux qui suggèrent une misère morale d'autre part.

### Les moines

**15** Relevez, dans l'ensemble du texte, les phrases où le narrateur évoque les moines de l'abbaye : quelles caractéristiques met-il en évidence ?

## La visée

**16** Quelle est la visée de cet extrait ? Précisez l'intention de l'auteur. Quelles réactions cherche-t-il à éveiller chez le lecteur ?

# Étudier la langue

**17** « Commère » (l. 113) et « compère » (l. 191).
**a.** Décomposez ces deux mots en faisant apparaître leur préfixe et leur radical.
**b.** Précisez le sens de ces deux termes dans le texte.
**c.** Utilisez-les dans deux phrases où ils auront leur sens actuel.

# S'exprimer

## Le récit

**18** Tour à tour, Renart est appelé « Renart le malfaiteur » (l. 78-79) puis « Renart le rouquin » (l. 104).

**a.** Proposez un surnom qui mette en évidence la personnalité d'Ysengrin.

**b.** Inventez un épisode du *Roman de Renart* dans lequel ce surnom d'Ysengrin sera mis en valeur par ses actions et par ses paroles.

# Se documenter

## Les loups

**19** La terreur des moines à la vue d'Ysengrin (l. 216 à 221) montre combien le loup est un animal effrayant.

**a.** Relisez les textes suivants : *Le Petit Chaperon rouge* (Charles Perrault), *Le Loup et l'agneau* (Jean de La Fontaine), *La Chèvre de monsieur Seguin* (Alphonse Daudet) et *Le Loup* (Marcel Aymé, *Les Contes du chat perché*).

**b.** Dans chacun de ces textes, retrouvez un passage où le loup apparaît comme un animal dangereux.

Texte 4

# Renart, Tibert et l'andouille

Renart, le maître ès ruses, s'était mis en route, bâillant de faim et allait à l'aventure le long d'un sentier. Tibert le chat ne prit garde à lui qu'au moment de se voir déjà dans ses filets. Sa vue fait frémir Renart de convoitise tant est grande
5 son envie de le dévorer et de se venger, par la même occasion, d'avoir été poussé par lui dans le piège. Pourtant, c'est en lui faisant bon visage qu'il le salue : « Quel bon vent vous amène, Tibert ? » Et le chat de prendre la fuite. « Holà ! Tibert, reprend Renart, ne vous sauvez pas. N'ayez pas peur. Arrêtez
10 et venez me parler. Souvenez-vous de votre promesse ! Que craignez-vous de moi ? N'allez pas imaginer (ne plaise à Dieu !) que je manque un jour à ma parole. Je n'aurais pas pris ce chemin aujourd'hui si je n'avais pensé vous y trouver. Je veux m'acquitter de[1] mes engagements. Mais, vous, Tibert,
15 vous faites bon marché de votre parole. »

Le chat s'arrête et tourne la tête en direction de Renart ; il aiguise ses griffes, montrant sans équivoque[2] qu'il est prêt à se défendre si l'autre fait mine de bouger un doigt. Mais le goupil, toujours bâillant de faim, n'a guère la tête à se battre :
20 il a déjà assez d'autres soucis. Aussi rassure-t-il Tibert :

« C'est fou le nombre de méchantes gens qu'il y a en ce monde ; on ne veut plus s'entraider ; chacun cherche à tromper son prochain ; on ne trouve plus ni sincérité, ni loyauté[3] chez personne. Et pourtant, on sait bien par expérience que le trom-
25 peur finit toujours par trouver son maître. C'est l'histoire arrivée à notre compère Ysengrin qui me le fait dire. Il vient d'entrer dans les ordres[4] et s'est fait prédicateur[5]. Il n'y a

---

1. Respecter.
2. Ouvertement.
3. Fait d'être fidèle à ses engagements.

4. De devenir moine.
5. Religieux qui prononce des sermons et fait des leçons de morale.

pourtant pas encore longtemps qu'il pensait rendre la pareille
à qui l'avait trompé. Je ne veux pas être un traître car on en
30 reçoit la punition qu'on mérite. Trahir et faire le mal n'apporte rien de bon. En agissant ainsi, on se fait déconsidérer.
Je me suis bien rendu compte qu'on est peu de chose quand
on ne peut compter que sur soi-même. À ce propos, vous avez
eu vite fait de m'abandonner l'autre jour quand vous m'avez
35 vu à l'article de la mort. Mais j'ai tort. Sûrement, vous en étiez
au désespoir. Honni soit qui doutera de vous. Aussi, de vous
à moi, dites-moi la vérité. Vous avez dû éprouver une grande
tristesse en me voyant à la torture dans le piège, quand les
chiens me harcelaient et que le paysan brandissait sa cognée
40 pour me tuer ? Il espérait bien y trouver son compte, mais il
n'a pas su frapper droit et j'ai encore ma peau sur le dos.

– Vous m'en voyez ravi.

– J'en étais sûr. Mais comment cela a-t-il pu se produire,
maître Tibert ? Car vous m'avez poussé exprès. Cela dit, je
45 ne vous en veux pas le moins du monde, je le dis sincèrement.
Mais je me trompe : vous ne l'avez pas fait exprès et personne,
d'ailleurs, ne se serait aussi mal conduit. N'en parlons plus. »

Tibert se défend sans conviction, car il se sent coupable
envers Renart qui continue de le mener avec une telle perfidie[6]
50 qu'il ne sait plus que répondre. Le goupil l'assure à nouveau
de sa fidélité et le chat, de son côté, s'engage envers lui. Ils scellent bien leur pacte[7], mais ce ne sera pas pour longtemps, car
Renart manquera à sa parole et on peut aussi compter sur
Tibert pour lui faire un mauvais coup s'il y trouve son profit.

55 Tous les deux prennent le même chemin, l'estomac dans
les talons. Mais, par un hasard extraordinaire, voilà qu'ils
trouvent une grosse andouille[8], tout près du chemin, dans un
chemin labouré. C'est Renart qui s'en saisit le premier, mais
Tibert intervient :

---

| **6.** Ruse, fourberie. | **7.** Ils passent un accord. | **8.** Espèce de longue saucisse.

60    « Que Dieu me protège, Renart, mon cher ami ! J'en veux ma part.

– Bien sûr ! Qui parle de vous l'enlever ? Ne vous ai-je pas juré loyauté ? » Tibert n'a guère confiance dans les serments[9] de maître Renart :

65    « Eh bien ! mangeons-la, ami.

– Ah non ! Ici nous ne serions pas tranquilles ; il faut l'emporter plus loin.

– D'accord », répond Tibert, quand il comprend qu'il n'y a rien d'autre à faire, car Renart était toujours maître de l'an-
70    douille. Il la tient entre ses dents par le milieu de sorte qu'elle pend des deux côtés. Et le chat qui s'inquiète fort de le voir l'emporter se rapproche pour lui dire :

« Quel maladroit vous faites ! Ne voyez-vous pas que vous allez toute la salir à vous y prendre ainsi ? Vous la traînez dans
75    la poussière et vous bavez dessus : j'en suis écœuré et je vous assure que, si vous la portez encore longtemps comme ça, je vous la laisserai tout entière. Moi, à votre place, je m'y prendrais autrement.

– Et comment ?

80    – Passez-la-moi, je vais vous faire voir. D'ailleurs, il est juste que je vous en décharge, puisque c'est vous qui l'avez vue le premier. »

Renart n'a garde de[10] l'en empêcher, se disant que si l'autre s'en charge, il se fatiguera plus vite et aura moins de défense.
85    Il la lui remet donc. Tibert, tout heureux, s'en saisit délicatement et, la tenant par une extrémité dans sa gueule, la balance avec adresse de manière à la faire retomber sur son dos. Puis, se retournant vers Renart :

« Voilà comment faire, compagnon, pour la porter sans
90    qu'elle touche terre et sans la salir avec ma bouche. Je ne la tiens pas n'importe comment. Elle en vaut bien la peine.

---

| **9.** Promesses.    | **10.** Se garde de.

Nous allons maintenant gagner ce monticule que je vois là, surmonté d'une croix, et nous y mangerons notre andouille ; nous ne l'emporterons pas plus loin et nous la consommerons
95 sur place : j'y tiens ; nous n'aurons rien à craindre car nous pourrons voir de tous les côtés venir ceux qui nous voudraient du mal. Le mieux est donc de nous y rendre. »

Tout cela aurait été égal à Renart s'il n'avait vu Tibert s'enfuir à toute allure jusqu'à la croix. Lorsqu'il comprend la ruse
100 du chat :

« Attendez-moi donc, compagnon, lui crie-t-il à plein gosier sur le ton de la colère.

– N'ayez pas peur, Renart. Il n'y aura que des avantages ; suivez-moi vite. »

105 Tibert n'avait pas besoin de leçons pour monter ou descendre ; il s'accroche de ses griffes à la croix, grimpe à toute vitesse jusqu'en haut et s'assied sur l'un des bras. Renart se retrouve tout marri[11] et comprend que l'autre s'est moqué de lui.

« Qu'est-ce que vous faites, Tibert ?
110 – Tout va bien, montez et nous mangerons.

– Ce ne serait pas sans mal ; descendez plutôt. Je risquerais trop de me blesser si je devais monter là-haut ! Soyez honnête avec moi : lancez-moi ma part et je vous tiendrai quitte.

– Que me dites-vous là, Renart ? Ma parole, vous avez bu.
115 Je ne le ferais pas pour cent livres[12]. Vous devriez bien savoir la valeur de cette andouille. C'est là Sainte Nourriture. On ne doit la manger que sur une croix ou à l'église, car il faut la traiter avec respect.

– Cela ne fait rien, mon bon Tibert. Il y a trop peu de place
120 là-haut pour que nous y tenions tous les deux. Si vous ne voulez pas descendre, ce n'est pas une raison pour m'oublier. Allons, mon ami, rappelez-vous : vous m'avez juré un compagnonnage loyal. Or, lorsque des compagnons sont ensemble, chacun

---

**11.** Contrarié, fâché.
**12.** La livre est la monnaie de l'époque. Cent livres représentaient une grosse somme.

doit avoir sa part de tout ce que l'un ou l'autre trouve. Si vous
125 ne voulez pas être parjure, partagez cette andouille et jetez-
m'en ici ma part. Je prends le péché sur moi.

– Pas question, répond Tibert. Comment pouvez-vous parler
ainsi, compagnon Renart ? Vous êtes pire qu'un hérétique[13] !
Jeter à terre une chose aussi vénérable[14] ! Même ivre, il ne me
130 viendrait pas à l'idée de le faire : ce serait me comporter en
mauvais chrétien. Car c'est une chose sacrée dans notre religion : Son nom est Andouille. Vous l'avez souvent entendu
nommer. Je vais vous dire ce que vous allez faire : vous allez
rester sur votre faim pour cette fois, mais je vous accorde
135 que la prochaine que nous trouverons sera toute pour vous.
Vous n'aurez pas à m'en donner une miette.

– Tibert, Tibert, vous retomberez bien un jour dans mes
griffes. Jetez-m'en un peu s'il vous plaît.

– Qu'est-ce que j'entends ? rétorque Tibert, vous ne pouvez
140 donc pas attendre qu'il vous en tombe une du ciel qui vous
reviendrait en entier sans discussion ! Vous supportez mal
l'abstinence[15]. »

Et Tibert abandonne la discussion pour se mettre à manger
l'andouille. Renart en a les larmes aux yeux.

145 « Comme je suis heureux, Renart, lui dit Tibert, de vous voir
pleurer vos péchés ! Que Dieu, qui connaît votre repentir[16],
en allège votre pénitence[17].

– Ça suffit comme ça ! Mais vous serez bien obligé de finir
par descendre, ne serait-ce que pour boire, et alors, vous devrez
150 me passer entre les pattes !

– Vous ne pouvez savoir à quel point Dieu est de mon côté.
Il y a un creux à côté de moi et, comme il a plu, il n'y a pas
longtemps, il y reste assez d'eau pour ma soif : elle est là tout
exprès pour moi.

---

**13.** Ennemi de la religion.
**14.** Respectable.
**15.** Le jeûne, la privation.
**16.** Acte de demander pardon.
**17.** Punition.

155 – De toute façon, tôt ou tard, il faudra bien que vous descendiez !

– Non, pas avant des mois.

– Oh si ! Et avant sept ans accomplis[18] en tout cas.

– Eh bien ! jurez donc de ne pas vous en aller avant.

160 – Je jure de t'assiéger jusqu'à ce que tu tombes entre mes mains.

– Que le diable vous emporte si vous ne respectez pas ce serment ! Mais prononcez-le sur la croix, il n'en vaudra que mieux.

165 – Je jure que je ne partirai pas d'ici avant le terme[19] fixé. Ainsi, vous ne pouvez plus mettre ma parole en doute.

– Vous en avez assez fait, répond le chat, mais il y a une chose qui m'attriste, – et j'en suis rempli de pitié, – c'est que vous n'avez pas encore mangé et que vous allez devoir jeûner[20]
170 pendant sept ans. Pourrez-vous tenir si longtemps ? Or vous ne sauriez vous en tirer autrement, car il faut bien que vous respectiez un serment si solennellement prêté.

– Ne vous en faites pas pour moi.

– Je vais me taire, et même tout de suite. D'ailleurs, ce n'est
175 pas mon affaire. Mais, vous, attention à ne pas bouger de là. »

Tibert se remet à manger en silence, tandis que Renart tremble de colère et, tout à la fois, sue de convoitise[21]. Un vrai martyre ! C'est alors qu'il entend un bruit qui le plonge dans
180 l'inquiétude : c'est un chien qui aboie au loin ayant senti sa trace. Il lui faut abandonner la place s'il ne veut pas y laisser sa peau, car toute la meute se rassemble autour de celui qui menait la chasse. Le chasseur s'arrête et parle à ses chiens pour les encourager.

185 « Qu'est-ce que j'entends, Tibert ? fait Renart en dressant la tête.

---

| **18.** Entiers. | **19.** La date. | **20.** Vous priver. | **21.** D'envie.

– Attendez un peu, répond le chat, ne bougez pas. Voilà une douce musique ; ce sont des gens qui passent par là à travers la campagne. Ils viennent par ici, en longeant ces fourrés et en
190 chantant messe et matines, puis ils vont réciter l'office des morts et faire leurs dévotions au pied de cette croix. Il faut que vous y soyez puisqu'aussi bien vous avez été prêtre autrefois. »

Renart qui reconnaît, à l'odeur, que ce sont des chiens, se rend bien compte qu'il est en mauvaise posture et veut prendre
195 la fuite. Mais Tibert, le voyant se lever :

« Pourquoi vous préparer ainsi, Renart ? Qu'est-ce que vous voulez faire ?

– Je veux m'en aller.

– Vous en aller, par Dieu, comment cela ? Souvenez-vous du
200 serment que vous avez prêté. Non ! Vous ne partirez pas. Restez ici, c'est un ordre ! Au nom de Dieu, si vous partez, vous devrez vous en justifier, je vous le garantis, à la cour du roi Noble, car vous y serez accusé de parjure et pas seulement d'avoir menti. La trahison est double : vous aviez promis de m'as-
205 siéger[22] sept ans et vous vous y étiez engagé par un serment solennel. Or vous vous dérobez comme un scélérat[23] en prenant la fuite dès le premier jour. Je suis en bons termes avec ces chiens. Si vous en avez la moindre peur, plutôt que de vous voir commettre un tel sacrilège, je leur donnerai un gage pour
210 vous et je passerai un accord avec eux. »

Sans l'écouter, Renart se met en route. Les chiens qui l'ont vu se lancent à sa poursuite, mais en vain, car il connaît trop bien le pays pour être pris.

Échappant aux dents de ses poursuivants, il s'enfuit, mena-
215 çant Tibert tant et plus et jurant d'en découdre avec lui à la première occasion. C'est la guerre déclarée entre eux, il n'y aura plus ni paix ni trêve.

---

**22.** Poursuivre, traquer un ennemi sans bouger.
**23.** Bandit, malfaiteur.

# Repérer et analyser

## Le narrateur

**1** « Ils scellent bien leur pacte, mais ce ne sera pas pour longtemps, car Renart manquera à sa parole » (l. 51 à 53) : par quel temps verbal le narrateur annonce-t-il qu'il y aura trahison dans la suite du récit ?

## La progression du récit

**2** Le récit peut se découper en trois parties.
**a.** Lignes 55 à 59 : relevez un connecteur (voir la leçon, p. 23) qui signale le passage à la deuxième partie du récit.
**b.** Lignes 177 à 184 : relevez un connecteur qui signale le passage à la troisième partie du récit.

## Les relations entre les personnages

**3** « Et le chat de prendre la fuite » (l. 8) ; « il se sent coupable envers Renart » (l. 48-49). Quel lien pouvez-vous établir entre les mots « prendre la fuite » et « coupable » ?
**4** Quelles raisons invoque Tibert le chat pour porter l'andouille ? Quelles sont ses véritables raisons ?
**5** Comment expliquez-vous sa victoire finale sur Renart ?
**6** L'ironie

L'ironie consiste à se moquer de quelqu'un en disant exactement le contraire de ce que l'on pense réellement. Exemple : « Bravo ! mes compliments » (à quelqu'un qui vient de faire une bêtise).

En quoi les propos de Renart et de Tibert lignes 21 à 47 sont-ils ironiques ?

## La fiction animale

**7** **a.** Qui est Tibert ? Relevez tous les termes servant à brosser le portrait moral et physique de ce personnage. Qu'a-t-il en commun avec Renart ?
**b.** Par quels traits ce personnage appartient-il à la société des hommes ? Par quels traits est-il un animal ?

**8** Dans la troisième partie du récit (l. 179 à la fin), relevez un indice montrant que la société animale dans *Le Roman de Renart* est gouvernée comme celle des hommes au Moyen Âge.

# Étudier la langue

**9** **a.** « Parjure » (l. 203) : comment est formé ce mot ? Que signifie-t-il ?

**b.** Pourquoi, dans le cas de Renart, la trahison est-elle « double » (l. 204) ?

**10** « Honni » (l. 36) : que signifie le verbe « honnir » ? Quel est le sens de l'expression « Honni soit qui mal y pense » ?

**11** L'infinitif de narration

L'infinitif de narration est une tournure destinée à rendre le récit plus vivant. Exemple : « Et l'autre, qui l'a vu, à son tour de répondre [...] » (l. 32, p. 11).

Relevez un infinitif de narration dans le premier paragraphe.

# S'exprimer

## La personnification

**12** Renart trouve l'andouille. Mais voilà qu'elle se met à parler... Racontez la scène (voir la leçon sur la fiction animale et la personnification, p. 14).

# Dessiner

**13** Dessinez Tibert en haut de la croix avec l'andouille et Renart en bas, plein de convoitise. Choisissez une phrase du texte pour illustrer cette scène.

Texte 5

# Renart et la mésange

Tandis que Renart se lamente ainsi, il aperçoit une mésange perchée sur un chêne : l'arbre cachait un creux où elle avait installé ses œufs à l'abri.

« Bonjour, chère amie, descendez donc m'embrasser.

5 — Il n'en est pas question, Renart. On ne peut être l'ami d'un brigand de votre espèce. Vous avez fait tant de mauvais coups à tant d'oiseaux, à tant de biches, qu'on ne sait plus que penser. Qu'allez-vous devenir ? Le mal vous a tellement corrompu[1] qu'il est impossible de vous faire confiance.

10 — Dame, aussi vrai que votre fils est mon filleul par son saint baptême, je ne songe pas à mal, je vous assure. Savez-vous pourquoi ? Il est normal que je vous le dise. Monseigneur Noble le lion a fait jurer la paix, et pour longtemps, s'il plaît à Dieu. Dans tout son royaume, il a fait promettre à ses vassaux qu'ils 15 la respecteraient et veilleraient à son maintien. Voilà qui réjouit le cœur des petites gens. C'en sera fini des disputes, des procès, des guerres meurtrières à droite et à gauche et les bêtes, grandes et petites, vivront tranquilles !

— Vous cherchez à me tromper, Renart. Allez donc cher-20 cher ailleurs, je vous en prie, car, vous aurez beau dire et beau faire, vous ne me convaincrez pas de me laisser embrasser par vous. »

Renart, voyant que sa commère ne veut pas le croire, lui, son compère, ajoute :

25 « Écoutez, dame, puisque vous avez peur de moi, je garderai les yeux fermés pour vous embrasser.

— Dans ces conditions, j'accepte. Fermez les yeux. »

| **1.** Rendu malhonnête.

Il obéit, mais la mésange qui ne veut pas se risquer à l'embrasser se saisit d'une pleine poignée de mousse et de feuilles
30 dont elle se met à lui chatouiller le museau. Et Renart, croyant la saisir, n'attrape que la feuille restée accrochée à sa moustache.

« Eh bien ! Renart, s'écrie-t-elle, de quel accord parliez-vous ? Vous auriez eu vite fait de rompre la trêve[2] si je ne m'étais
35 écartée à temps. Vous prétendiez que la paix était chose faite et jurée. Votre roi ne s'est pas entouré de garanties[3] suffisantes. »

Mais le goupil, glapissant de rire :

« Allons, c'était une plaisanterie pour vous faire peur. Peu
40 importe ! Recommençons, je fermerai à nouveau les yeux.

– Alors, restez sans bouger. »

Le trompeur s'exécute et la mésange va jusqu'à lui frôler le mufle[4] mais sans le toucher vraiment. Nouveau coup de dent de Renart dans l'espoir de l'attraper ! Peine perdue.

45 « Jamais plus je ne vous croirai, Renart. Comment faire autrement ! Le diable m'emporte si j'ai encore confiance en vous.

– Vous êtes bien peureuse ! Je voulais vous effrayer et vous mettre à l'épreuve. Je vous assure que je n'y mettais aucune
50 mauvaise intention. Revenez-y encore une fois. Jamais deux sans trois. Au nom des vertus de bonté, de charité, de constance, debout chère amie ! Par la foi que vous me devez et que vous devez à mon filleul qui chante là-haut sur ce tilleul, scellons notre accord. À tout pécheur miséricorde ! »

55 Mais la mésange, ni folle ni sotte, fait la sourde oreille et ne bouge pas de la branche sur laquelle elle est perchée. Tandis que Renart s'occupe à discourir[5], voici que des chasseurs,

---

**2.** Courte période de paix lors d'une guerre ou d'une bataille entre deux ennemis.

**3.** Précautions.
**4.** Museau.
**5.** Bavarder.

avec valets de chiens et sonneurs de cor, lui tombent sur le poil. À cette vue, stupéfait, il s'apprête à fuir, la queue dressée en
60 arc au milieu des cris que poussent les hommes et des sonneries des cors et des trompes. Il détale, rien moins que rassuré, tandis que la mésange lui crie : « La paix dont vous parliez est donc déjà rompue, Renart ? Où fuyez-vous ? Revenez. »

Il a la sagesse de ne pas s'arrêter pour lui crier ce mensonge :
65 « On a bien promis-juré, dame, de respecter une trêve, et même de faire la paix. Mais tout le monde n'est pas encore au courant. Ce sont de jeunes chiens qui arrivent ; ils ne se sont pas encore engagés à respecter la paix que leurs pères ont fait serment de garder. Le jour où leurs pères et leurs grands-
70 pères ont promis de la maintenir, ils étaient encore trop petits pour participer à la cérémonie.

– Comme vous êtes soupçonneux ! Croyez-vous qu'ils vont enfreindre[6] la paix ? Revenez donc m'embrasser !

– Le moment me paraît mal choisi.
75 – Mais puisque votre roi a fait jurer la paix ! »

Sans répondre, Renart s'enfuit par les raccourcis qu'il connaissait bien, mais c'est pour tomber sur un frère convers[7] qui tenait en laisse, le long du chemin, deux chiens de chasse de belle taille. Le paysan qui était en tête des poursuivants crie
80 alors au religieux de lâcher les chiens : « C'est pour le goupil : il n'ira pas loin. » Paroles qui arrachent un soupir à Renart car il sait bien qu'il passera un mauvais quart d'heure si on l'attrape. Il se voit encerclé par des gens tout prêts, dès qu'ils le tiendront, à l'écorcher à la pointe de leurs couteaux. Il craint
85 fort d'y laisser pelisse et peau si, tout beau parleur qu'il est, il ne parvient pas à faire prévaloir la ruse sur la force[8]. Il y a donc le moine qui flâne et Renart, en arrêt, qui ne peut

---

**6.** Passer outre, ne pas respecter.
**7.** Personne qui, dans un monastère, s'occupe des travaux manuels.
**8.** À ce que la ruse l'emporte sur la force.

ni se cacher ni s'échapper : où pourrait-il aller, on se le demande. Et le frère, qui l'a vu, s'approche, menaçant :

90 « Ha ! Ha ! sale engeance[9] ! vous ne vous sauverez pas.

– Au nom de Dieu, mon père, ne parlez pas ainsi. Un ermite, un saint homme comme vous doit se garder sur tout de faire tort à personne. Si, vous ou vos chiens vous mettiez en travers de mon chemin, c'est vous qui seriez responsable. Mais c'est

95 moi qui serais perdant – et furieux de l'être –, car ces chiens et moi nous faisons une course sur paris dont les enjeux[10] sont importants. »

Considérant que Renart est dans le vrai, le moine le recommande à Dieu et à saint Julien avant de faire demi-tour.

100 Aussitôt, le goupil éperonne son cheval et reprend la fuite par un sentier qui remonte un vallon à travers champs. Les hurlements qui s'enflent derrière lui, lui font presser l'allure. Puis il saute un large fossé qui longe le chemin, faisant perdre sa trace aux chiens qui doivent abandonner la partie. Une fois

105 ses poursuivants égarés, Renart ne demande pas son reste, il craint trop les dents des molosses[11]. Bien sûr, il est fatigué par la longue course qu'il a dû fournir tout le jour, à cause de la malchance qui s'est acharnée sur lui. Mais qu'importe ! Le voilà à l'abri. Il n'empêche ! Quelle épreuve cela a été ! Et il

110 se répand en menaces contre ceux qui s'en sont pris à lui.

---

**9.** Espèce, race.
**10.** Ce que l'on peut gagner ou perdre dans un pari ou une compétition.
Ici, pour Renart, c'est une question de vie ou de mort.
**11.** Gros chiens de garde.

# Questions

## Repérer et analyser

### La structure du récit

**1** **a.** Repérez dans les lignes 55 à 61 le mot qui signale le passage à la deuxième partie du récit.

**b.** Quels personnages étaient présents dans la première partie ? Quels nouveaux personnages apparaissent dans la seconde partie ? Précisez leur rôle.

### Les relations entre les personnages

**2** **a.** Pourquoi Renart veut-il embrasser la mésange ?

**b.** Quels arguments utilise-t-il pour convaincre la mésange ?

**c.** Relevez les mots appartenant au champ lexical de la confiance dans les propos du renard et de la mésange. Pour quelles raisons sont-ils nombreux ? La mésange est-elle convaincue ?

**d.** « La mésange, ni folle ni sotte » (l. 55) : justifiez ces deux adjectifs qualificatifs en vous appuyant sur la conduite de la mésange.

**3** « Descendez donc m'embrasser » (l. 4) ; « revenez donc m'embrasser » (l. 73).

**a.** Quel personnage représente successivement le pronom « m' » dans ces deux citations ?

**b.** Qui arrive à retourner la situation en sa faveur : le renard ou la mésange ?

**4** Par quelle ruse Renart évite-t-il les chiens du frère convers (l. 76 à 99) ?

### La fiction animale

**5** « Glapissant de rire » (l. 38).

**a.** À qui s'appliquent généralement les verbes « glapir » et « rire » ? À qui s'appliquent-ils ici ?

**b.** Que cherche à montrer le narrateur à travers cette expression ?

## Les éléments réalistes

### La société du Moyen Âge

**6** D'après le texte, qui veille au maintien de la paix ?

### La visée

**7** En quoi la situation de Renart dans cet épisode peut-elle amuser le public ?

# Étudier la langue

### Le vocabulaire

**8** « Pelisse » et « peau » (l. 85). Quelle différence faites-vous entre ces deux mots ? Utilisez-les dans une phrase qui fera ressortir leur sens.

### De l'ancien français au français moderne

**9** *Le Roman de Renart* a été écrit à une époque où le français était très différent d'aujourd'hui (voir l'introduction, p. 4).

**a.** Retrouvez dans le texte moderne le passage suivant :

> « Par cele foi que me devés
> Et que vos devés mon fillol,
> Qui la chante sor ce tilloil,
> Si faisomes ceste racorde. »

**b.** Parmi les mots suivants, lesquels ont gardé la même orthographe : « foi », « devés », « fillol », « qui », « sor », « tilloil » ?

# S'exprimer

**Le prologue** (voir la leçon, p. 35)

**10** Après avoir relu le prologue du troisième épisode, « Ysengrin dans le puits » (p. 26), rédigez un prologue pour cet épisode : vous vous adresserez au public à qui vous allez raconter l'histoire de Renart et la mésange.

# Se documenter

## Seigneurs et vassaux

**11** Après avoir donné le sens des mots soulignés dans le texte suivant, dites quels sont les devoirs du vassal et ceux du seigneur.

C'est lors de la cérémonie de l'hommage qu'un guerrier se lie à un seigneur pour devenir son vassal. Il lui jure alors fidélité et reçoit en échange un fief, c'est-à-dire une terre ou un revenu. Seigneur et vassal ont dorénavant de nombreux devoirs l'un envers l'autre. Le vassal doit à son seigneur le conseil et l'aide militaire. Il lui doit aussi une aide financière dans quatre cas précis : quand le seigneur marie sa fille, quand il fait son fils chevalier, lorsqu'il doit une rançon ou quand il part en croisade.

En échange, le seigneur doit conseiller et protéger son vassal. Il doit aussi l'entretenir : c'est pourquoi il lui a remis un fief. Si le vassal a trahi la fidélité de son seigneur, il est félon. Le seigneur peut alors lui reprendre son fief.

Les liens de vassalité construisent une véritable pyramide dominée par le roi : les seigneurs sont en effet vassaux d'autres seigneurs, les plus puissants étant vassaux du roi. Ce dernier est le seul à ne faire hommage à personne. Pour être plus puissant, un vassal essaye de posséder plusieurs fiefs : il s'engage alors auprès de plusieurs seigneurs. En cas de conflit entre ses seigneurs, il se range aux côtés de celui auquel il a prêté un hommage prioritaire appelé hommage-lige. Ce seigneur lui-même est son seigneur-lige.

Texte 6

# Renart et Tiécelin le corbeau

Entre deux collines, dans une vallée juste au pied d'un tertre, Renart aperçoit au bord d'un ruisseau, à droite, un coin agréable et peu fréquenté, où un hêtre s'offre à sa vue. Aussi traverse-t-il l'eau pour venir au pied de l'arbre. Après quelques
5   sauts et gambades autour du tronc, il s'allonge sur l'herbe fraîche, s'y roule en s'étirant. Il est descendu à la bonne adresse et n'aurait pas de raison d'en changer s'il trouvait à manger, car le séjour n'y aurait alors que des agréments. Pendant ce temps, Maître Tiécelin le corbeau qui n'avait rien avalé de la
10  journée, n'avait guère la tête, lui, à se reposer. La nécessité l'avait chassé du bois et il se dirigeait à tire-d'aile vers un enclos, mais en prenant garde de ne pas se faire voir, impatient de livrer combat. Il y voit un bon millier de fromages qu'on avait mis à affiner au soleil. Celle qui devait les surveiller était rentrée
15  chez elle. Tiécelin comprend que c'est le moment d'en profiter : il fonce et en saisit un. La vieille se précipite au milieu de la cour pour le récupérer et, visant l'oiseau, elle lui lance force[1] cailloux en criant : « Maudit garçon, tu ne l'emporteras pas ! » Et le corbeau, voyant qu'elle perd la tête : « Si on en parle, la
20  vieille, vous pourrez toujours dire que c'est moi le voleur ; peu importe que je sois dans mon bon droit ou non. L'occasion fait le larron. Mauvaise garde nourrit le loup. Surveillez mieux le reste. En tout cas, celui-là, inutile de compter dessus, car j'aurai le plaisir de me faire la barbe avec. J'ai pris des risques
25  pour m'en emparer. Il était si moelleux, si crémeux ; il avait l'air si goûteux[2] ! Merci pour ce présent d'amour ! Si je peux le porter jusqu'à mon nid, j'en mangerai bouilli et rôti tout à mon aise. Faites comme moi : allez-vous-en. »

| 1. Beaucoup de.                    | 2. Savoureux.

Il s'en retourne donc et vient se poser tout droit sur l'arbre
30 au pied duquel se trouvait Renart. Il était dit qu'ils devaient
se rencontrer ce jour-là, Renart en bas, l'autre en haut. Mais
il y avait une différence entre eux, c'est que l'un est en train
de manger pendant que l'autre bâille de faim. Tiécelin entame
son fromage – qui était encore mou – à grands coups de bec
35 et il en mange du plus crémeux et du plus moelleux n'en
déplaise à celle qui avait essayé de s'opposer au vol. Il y va de
bon cœur, sans s'apercevoir qu'une miette tombe par terre
juste sous les yeux de Renart, qui, comprenant aussitôt de
quoi il retourne, hoche la tête et se met debout pour mieux se
40 rendre compte. C'est Tiécelin, son vieux compère, qui est là-
haut, un bon fromage entre les pieds. Il l'interpelle familièrement : « Par les saints du ciel, qui va là ? Est-ce vous, mon cher
ami ? Paix à l'âme de votre père, maître Rohart qui était un
si bon chanteur ! Je l'ai souvent entendu se vanter d'être le
45 meilleur de France. Et vous aussi, dans votre jeunesse, vous
pratiquiez cet art avec assiduité. Savez-vous encore la musique ?
Chantez-moi donc une chanson à danser. »

À ces paroles enjôleuses, Tiécelin ouvre le bec et pousse un
braillement. « C'est bien, dit Renart, vous avez fait des progrès.
50 Mais si vous le vouliez, vous pourriez monter d'un ton. »

Et l'autre se remet à brailler, s'en faisant un plaisir. « Dieu,
dit Renart, comme votre voix devient claire et pure ! Si vous
ne mangiez plus de noix, vous n'auriez pas votre pareil au
monde. Chantez donc une troisième fois ! » Et le corbeau de
55 se remettre à donner de la voix[3] de plus belle, sans se rendre
compte que, pendant qu'il s'évertue, sa patte se desserre et
laisse tomber le fromage juste sous le nez de Renart. Mais,
bien que le goupil brûle d'envie de le manger, il est assez malin
pour s'abstenir d'y toucher, car il voudrait bien mettre aussi

| **3.** Se remet à chanter.

60 la main, si c'était possible, sur Tiécelin. Il se lève donc, comme
pour s'éloigner du fromage qu'il a sous le nez en ramenant à
lui son pied, – celui qui a été blessé par le piège, – de manière
que Tiécelin le voie bien : « Mon Dieu, dit-il, comme vous
m'avez donné peu de joie en cette vie ! Que faire, sainte Marie ?
65 Ce fromage sent si fort ! Sa puanteur va m'achever. Car, ce qui
m'inquiète, c'est que le fromage est mauvais pour les blessures,
et il ne me dit vraiment rien, puisque la Faculté[4] me l'interdit.
Ah ! Tiécelin, descendez pour me délivrer de ce mal. Je n'aurais pas recours à vous si la malchance n'avait voulu que je
70 me casse la jambe l'autre jour dans un piège. Je n'ai pu
éviter ce malheur et me voilà condamné au repos et à me mettre
des emplâtres[5] et des onguents[6] jusqu'à ce que je sois de
nouveau sur pied. » Ses larmes et son ton suppliant inspirent
confiance au corbeau qui descend du haut de l'arbre où il était
75 perché, ce qui va causer sa perte si maître Renart peut l'attraper. Cependant, il n'ose pas trop s'approcher et Renart,
comprenant qu'il a peur, s'efforce de le rassurer : « Par Dieu,
venez donc ! Quel mal peut vous faire un estropié ? » Et il se
tourne de son côté. Le sot, trop confiant, ne comprit pas ce
80 qui lui arrivait quand Renart bondit. Le goupil espérait bien
le prendre mais il a mal calculé son coup. Seules quatre plumes
lui restent entre les crocs. Mais il s'en est fallu de peu que
Tiécelin ne se voie bien plus mal récompensé. Malgré son affo-
lement il se met hors de portée d'un saut et s'examine sous
85 toutes les coutures : « Eh bien ! je n'ai guère fait attention à
moi aujourd'hui. Je ne croyais pas qu'il aurait pensé à mal.
Ce cochon de rouquin, ce bancal[7], il m'a arraché quatre belles
plumes de l'aile Qu'il aille au diable ! Il n'y a pas à dire :
c'est un menteur, un hypocrite ; je l'ai appris à mes dépens ! »

---

4. Les médecins.
5. Genre de pansements.
6. Sorte de pommade.
7. Boiteux.

90 Devant la fureur de Tiécelin, Renart veut se justifier, mais le corbeau, qui n'a plus aucune envie de discuter, le plante là en lui disant de garder le fromage : « Vous n'aurez rien de plus de moi. J'étais bien bête de vous faire confiance parce que je vous voyais boiter. » Renart le laisse grogner sans lui répondre et

95 se console avec le fromage. Il ne se plaint que du peu[8] car il n'en fait qu'une bouchée. Mais à la fin de ce repas, il se dit qu'il ne se souvient pas avoir mangé, depuis sa naissance, d'aussi bon fromage. Et comme sa blessure ne s'en porte pas plus mal, il s'en va sans rien ajouter.

100     Ainsi finit cette affaire et il reprend la route.

# Repérer et analyser

## La situation d'énonciation

**1** Relevez les commentaires du narrateur (l. 29 à 36).

## La progression du récit

**2** Dans quelle situation chacun des personnages se trouve-t-il au début du récit (l. 1 à 33)? Justifiez votre réponse.

**3** **a.** Quel élément déclenche l'action?

**b.** Par quels adjectifs qualificatifs le narrateur rend-il le fromage particulièrement savoureux?

**4** Quelles actions s'enchaînent?

**5** Qui sort vainqueur de l'aventure?

## Les personnages

**6** **a.** Quelles « paroles enjôleuses » (l. 48) Renart adresse-t-il à Tiécelin? Dans quelle intention?

**b.** Montrez que Renart fait preuve d'un véritable talent de comédien.

**7** Relevez le nom qui désigne Tiécelin (l. 73 à 80). Quel défaut le narrateur met-il en avant?

**8** Quelle est la réaction de Tiécelin (l. 85 à 89)? Relevez les termes par lesquels Tiécelin désigne et caractérise Renart.

## La fiction animale

**9** Dans le passage des lignes 36 à 42 (« Il y va de bon cœur [...] familièrement »), relevez deux attitudes humaines attribuées à Renart.

# S'exprimer

### Argumenter

Argumenter consiste à donner des raisons pour justifier une idée, une situation ou une action.

**10** « Renart veut se justifier » (l. 90): Renart argumente pour se justifier. Rédigez son plaidoyer en tenant bien compte de son caractère.

# Comparer

**11** Comparez cet épisode du *Roman de Renart* avec la fable de La Fontaine intitulée « Le Corbeau et le Renard » (voir ci-dessous).
Pour chacun des deux textes, indiquez dans un tableau :
– le genre d'écriture (poésie, théâtre, roman) ;
– le nombre et le nom des personnages ;
– le lieu principal ;
– l'action et les événements successifs ;
– le dénouement (fin de l'histoire) ;
– la présence ou l'absence d'une morale.

## Le Corbeau et le Renard

Maître Corbeau, sur un arbre perché,
　　Tenait en son bec un fromage.
Maître Renard, par l'odeur alléché,
　　Lui tint à peu près ce langage :
　　« Et bonjour, Monsieur du Corbeau.
Que vous êtes joli ! que vous me semblez beau !
　　Sans mentir, si votre ramage
　　Se rapporte à votre plumage,
Vous êtes le Phénix des hôtes de ces bois. »
À ces mots, le corbeau ne se sent pas de joie ;
　　Et pour montrer sa belle voix,
Il ouvre un large bec, laisse tomber sa proie.
Le Renard s'en saisit, et dit : « Mon bon Monsieur,
　　Apprenez que tout flatteur
　　Vit aux dépens de celui qui l'écoute.
Cette leçon vaut bien un fromage, sans doute. »
　　Le Corbeau honteux et confus
Jura, mais un peu tard, qu'on ne l'y prendrait plus.

Jean de La Fontaine, *Fables*.

Texte 7

# Renart condamné à mort

*Après un long procès, Renart est cependant parvenu à
échapper à la justice royale et s'est réfugié dans son château
de Maupertuis. Mais, après six mois de siège, il a finalement
été capturé par Tardif le limaçon...*

Ainsi donc, le[1] voilà prisonnier, au grand soulagement de
tous les habitants de la contrée qui le conduisent au gibet
afin de l'y pendre, car le roi a refusé de le libérer contre rançon :
« Seigneur, dit Ysengrin au roi, pour l'amour de Dieu,
5  confiez-le- moi, j'en tirerai une vengeance si éclatante qu'on
en parlera dans toute la France. »
Mais Noble refuse, ce qui lui vaut une approbation chaleu-
reuse et unanime[2]. Ayant fait bander les yeux du coupable :
« Renart, Renart, dit-il, il y a des bourreaux qui vont main-
10  tenant vous faire payer tous les crimes que vous avez commis
dans votre vie [...]. Nous allons vous passer la corde au cou. »
Ysengrin se lève, agrippe Renart par l'encolure et lui donne
un coup de poing qui le fait péter. Brun l'attrape par la nuque
et lui enfonce les crocs dans le gras de la cuisse. Roonel qui l'a
15  pris à la gorge lui fait faire trois tours sur lui-même. Tibert le
chat, qui l'a saisi par la fourrure, y va à coups de dents et de
griffes qu'il a bien affilées : un frisson d'horreur en parcourt
Renart. Enfin, Tardif le porte-étendard[3] lui donne un coup sur
la croupe[4]. Les bêtes sont si nombreuses à se précipiter et à
20  se bousculer autour de lui que pas même un tiers d'entre elles
ne parviennent à l'approcher. Maître Renart, qui avait l'habitude de se moquer du monde, se débat au milieu de tous

**1.** Renart.  **3.** Celui qui porte le drapeau des armées du roi.
**2.** Générale.  **4.** L'arrière-train.

ses assaillants. Mais il ne sait plus où donner de la tête et ne
voit pas comment il pourrait s'en tirer. Il n'a plus d'amis, tous
25 le haïssent. Et vous savez ce qu'on dit : c'est quand on est dans
le malheur et prisonnier qu'on peut faire le compte de ses amis
et de ses partisans. Grimbert le blaireau prie en pleurant pour
Renart son parent et ami, que l'on est en train de dépecer[5]
vivant. Il le voit enchaîné et mis à mal, mais ne sait comment
30 l'aider car la force n'est pas de son côté. Pelé le rat s'approche
et se lance contre Renart mais il tombe par terre au milieu de
la foule ; le goupil l'attrape par la nuque et ne desserre son
étreinte qu'après l'avoir étranglé. L'heure de la mort est venue
pour lui et personne, absolument personne autour de lui, ne
35 s'en est rendu compte. C'est le moment où Dame Fière, l'or-
gueilleuse, l'altière[6], sort de sa chambre : elle frémit et tremble
de douleur à cause du grand malheur qui vient d'arriver à
Renart. D'un autre côté, elle regrette de lui avoir donné son
anneau[7] car elle est bien certaine d'en avoir des ennuis quand
40 l'affaire sera terminée. Cependant elle ne fait semblant de rien
et s'avance à petits pas distingués jusqu'à Grimbert :

« Seigneur Grimbert, dit-elle en jouant la femme avisée[8],
hélas ! Renart voit maintenant les conséquences de son incon-
duite, de sa folie, de son insolence. En voilà aujourd'hui la
45 punition. Mais je vous apporte de ce pas une lettre : toute
personne en danger de mort qui la garde avec confiance n'a
plus rien à craindre. Si le seigneur Renart l'avait sur lui, il
n'aurait plus de raison d'avoir peur, qu'il ait ou non le droit
pour lui. Dites-lui, à voix basse, pour qu'on ne l'entende pas,
50 de l'accepter de ma part, car j'ai vraiment pitié de lui. Mais
surtout, n'en dites rien à personne d'autre. Ce n'est pas le vice
qui me pousse à agir ainsi ! Dieu m'entende ! Mais, comme
il est rempli de qualités, je souffre de le voir dans le malheur.

---

**5.** Enlever la peau.      **7.** Signe d'un engagement amoureux.
**6.** La dédaigneuse.      **8.** Sage, sensée.

– Très chère et vénérée[9] dame, noble reine couronnée, répond
55 Grimbert, que Dieu qui, du haut des Cieux, voit le monde, lui
qui est Seigneur et Maître de l'univers et vous a placée à ce
haut degré d'honneur, vous épargne la honte ! Car si Renart
s'en sort vivant, il demeurera un de vos meilleurs amis. »

Il s'empresse alors de prendre la lettre que la reine lui tend.
60 Elle lui glisse très discrètement à l'oreille de dire à Renart que,
dès qu'il se sera tiré de ce mauvais pas, il n'ait de cesse d'aller
lui parler en secret, sans se faire remarquer. Qu'il le fasse pour
l'amour qu'il lui a promis !

L'attente des ennemis de Renart va être bien déçue. On lui
65 a déjà passé la corde au cou, et il est tout près d'avoir à se
présenter devant Dieu, quand arrive Grimbert son cousin
qui le voit aux mains d'Ysengrin. Le loup veut le pendre à la
potence, tandis que les autres se sont écartés en arrière. Le
blaireau s'adresse à lui de façon à être entendu de tous :

70 « Renart, on peut bien dire que vous êtes sur le point de
comparaître devant Dieu. Il faut vous résigner. Vous devriez
vous confesser et faire un testament en faveur de vos trois
beaux et aimables enfants.

– Vous avez raison, lui fait Renart. Il faut que chacun ait sa
75 part. Je laisse à l'aîné mon château qui est imprenable. Mes
autres donjons et places fortes[10], je les donne à ma femme aux
courtes tresses. À mon second fils, Percehaie, je laisse les
friches[11] de Tibert Fressaie où il y a tellement de rats et de
souris qu'on n'en trouverait pas autant jusqu'à Arras ; et à
80 Rovel, mon petit dernier, les friches de Thibaut Forel, ainsi
que son jardin auprès de la grange qui est rempli de poules
blanches. Je n'ai rien d'autre à leur léguer[12]. Mais avec cela,
ils auront bien de quoi vivre. Tel est mon testament établi ici
devant tous.

---

**9.** Aimée et respectée.
**10.** Forteresses.

**11.** Champs abandonnés, non cultivés.
**12.** Laisser en héritage.

85 – Votre fin est proche, reprend Grimbert, et à moi qui suis votre cousin germain, ne laisserez-vous pas aussi quelque chose ? Vous feriez là assurément une bonne action.

– Vous dites vrai. Eh bien, si ma femme se remarie, au nom de la Vierge, reprenez-lui tout ce que je lui ai légué et gardez
90 mon fief en paix. Elle m'aura vite oublié dès qu'elle me saura mort et n'attendra pas la conversion de Thibaut[13] pour prendre un autre homme dans ses filets. Un mari n'est pas plutôt dans le cercueil que sa femme cherche déjà derrière elle si elle ne voit pas un homme à son goût ; elle ne peut dissimuler ce qu'elle
95 a en tête alors même qu'elle s'efforce de se tenir tranquille, craignant qu'il ne lui fasse semblant de rien[14]. La mienne fera de même et elle aura retrouvé sa gaieté avant trois jours. Mais si tel était le plaisir de monseigneur le roi, s'il voulait bien l'accepter, je me ferais moine, ermite ou chanoine – voilà certes
100 qui devrait le satisfaire – et je renoncerais à la vie que j'ai menée dans ce monde périssable[15] et dont je suis maintenant détaché.

– Maudit traître, dit Ysengrin, qu'est-ce que vous racontez ? Vous nous avez tant trompés, vous nous avez tant menti, vous auriez bonne mine avec le froc[16] ! Que Dieu voue[17] le roi au
105 déshonneur s'il ne vous pend pas pour votre plus grande honte sans vous laisser d'échappatoire[18], car la corde est tout ce que vous méritez. Quiconque vous obtiendrait un sursis[19], je le haïrais à jamais. Arracher un bandit au gibet, c'est charité bien mal ordonnée.

110 – Seigneur Ysengrin, rétorque Renart, c'est là votre affaire. Dieu est toujours là-haut. Et tel qui s'en plaint ne pèche point. »

Le roi intervient alors. « Occupez-vous donc de le pendre ! J'ai assez attendu ! »

---

**13.** Émir musulman, évoqué dans *La Chanson de Roland*.
**14.** Craignant qu'il ne lui témoigne pas d'intérêt.
**15.** Sur la terre où tout a une fin.
**16.** La tenue des moines.
**17.** Condamne.
**18.** Moyen d'en réchapper.
**19.** Délai, remise de peine.

Et Renart allait bel et bien être pendu, même si cela n'avait
115 pas été du goût de tout le monde, quand, regardant en bas
dans la plaine, on voit venir une troupe nombreuse de cava-
liers et, parmi eux, beaucoup de dames plongées dans l'af-
fliction[20]. C'était la femme de Renart qui arrivait à bride
abattue[21] à travers champs. Elle se précipitait sans chercher
120 à dissimuler l'extrême chagrin qui l'accablait. Ses trois fils
étaient sur ses pas, laissant voir, eux aussi, une très grande
peine. Ils tirent et s'arrachent les cheveux, déchirent leurs vêtements et les cris qu'ils poussent portent à plus d'une lieue[22].
Ils chevauchaient trop vite pour soigner leur tenue, mais ils
125 amenaient avec eux un cheval tout chargé d'or afin de racheter
leur père. Avant qu'il ait reçu l'absolution[23], ils fendent la foule
avec une telle précipitation qu'ils sont déjà aux pieds du roi.
La dame, quant à elle, d'un seul élan, les devance tous :
« Seigneur, grâce pour mon mari, pour l'amour de Dieu, notre
130 Père et notre Créateur. Je vous donnerai tout cet or si vous
voulez avoir pitié de lui. »

Le roi Noble regarde devant lui le trésor composé d'or et
d'argent, et ce n'est pas l'envie de s'en rendre maître qui lui
manque. Aussi répond-il :

135 – « Dame, franchement, Renart s'est mis dans son tort à
mon égard : on ne saurait vous dire tout le mal qu'il a fait à
mes vassaux. C'est pourquoi je dois faire justice de lui. Et
comme il s'est obstiné dans ses crimes, il a bien mérité d'être
pendu. Tous mes barons sont d'avis de l'envoyer à la potence.
140 Et, en vérité, ce serait manquer à ma parole, que de lui faire
grâce du châtiment.

– Seigneur, au nom de Dieu en qui vous croyez, pardonnez-
lui pour cette fois.

---

**20.** Le désespoir.      **22.** 4 km environ.
**21.** À toute allure.    **23.** Le pardon de ses péchés.

– Je lui pardonne ce coup-ci, pour l'amour de Dieu, et pour
145 vous être agréable. On va vous le rendre mais, à son prochain
délit, il sera pendu.

– J'en suis d'accord, seigneur, et ne présenterai pas de
nouvelle requête[24]. »

On enlève alors à Renart le bandeau qu'il avait sur les yeux
150 et, à l'appel du roi, il se présente, plein d'entrain et sautillant
de contentement.

« Renart, dit Noble, prenez garde. Vous voilà libre, mais
au premier mauvais coup, vous vous retrouverez au même
point qu'il y a un instant.

155 – Seigneur, Dieu me garde d'en venir là à nouveau ! »

Puis, il laisse éclater sa joie devant toute sa famille rassemblée autour de lui. Il embrasse l'un, prend l'autre dans ses bras,
ravi de tout ce qu'il voit.

Ysengrin aurait préféré mourir plutôt que de le voir libre !
160 Tous ont grand peur qu'il ne recommence à leur faire du tort ;
et il s'y emploiera pour peu que Dieu lui prête vie jusqu'au soir.

Au moment où ils allaient partir, le roi voit arriver par un
raccourci deux chevaux tirant une civière. C'étaient Chauve
la souris et son mari Pelé le rat que maître Renart avait étranglé
165 en l'écrasant sous lui. Accompagnant Dame Chauve, il y avait
Dame Fauve et dix de leurs frères et sœurs. Il faut ajouter au
moins quarante de leurs fils et de leurs filles et plus de soixante
de leurs cousins qui s'avancent en poussant des cris de douleur,
faisant retentir l'air de leurs clameurs qui montent jusqu'au
170 ciel. Le roi se pousse un peu sur la droite pour voir ce qui se
passe. Les cris plaintifs qui parviennent à ses oreilles le laissent sans réaction. Mais, comme le bruit des lamentations se
rapproche, Renart se met à trembler de frayeur car cette
civière[25]-là l'épouvante. Il renvoie sa femme, ses enfants et les

---

**24.** Demande, prière.
**25.** Brancard sur lequel repose le corps de Pelé.

175 autres membres de sa famille, mais lui, le criminel, pendant que les siens se précipitent vers leurs chevaux et quittent sans bruit le camp, il demeure sur place et se retrouve en danger. La civière approche rapidement et Dame Chauve fend la foule jusqu'au roi :

180 « Seigneur, pitié ! » crie-t-elle, le cœur lui manque et elle tombe à terre, tandis que la civière s'effondre de l'autre côté. Tous se plaignent à si grand bruit de Renart que l'on n'aurait même pas pu entendre Dieu tonnant. Le roi veut alors se saisir du coupable qui, sans demander son reste, prend fort sagement

185 la fuite. Il était temps ! Point de discours ! Il grimpe au sommet d'un grand chêne autour duquel tous ses poursuivants s'attroupent pour y mettre le siège. S'il en descend, il ne leur échappera pas. Or c'est justement ce que le roi lui ordonne de faire :

« Il n'en est pas question, seigneur, à moins que vos barons

190 ne me promettent, avec la caution d'otages[26] de votre part, que je ne cours aucun risque. Car je suis, à l'évidence, tout entouré d'ennemis ! Si l'un d'eux m'avait à portée de main, ce ne serait pas pour m'offrir à manger. Tenez-vous donc tranquilles là-bas, comtes d'Auchier et de Lanfroi ! Si quelqu'un a quelque

195 chose à dire, qu'il le fasse : je l'entendrai bien ici en haut ! »

Le roi, devant les moqueries de Renart, ne se connaît plus de colère ; il fait apporter deux cognées pour abattre le chêne. À cette vue, le goupil prend peur : les barons sont rangés en bon ordre attendant chacun sa vengeance ; comment va-t-il pouvoir

200 s'en tirer ? Il se met alors à descendre de l'arbre, une pierre à la main, mais Ysengrin se déplace pour l'avoir mieux à sa portée. Ce que voyant, Renart n'hésite plus, et, tenez-vous bien, il lance sa pierre contre le roi, l'atteignant derrière l'oreille. Pour tout l'or du monde, Noble ne pourrait supporter le choc

205 sans tomber. Tous les barons se précipitent pour le retenir dans

**26.** Le roi devra s'engager à considérer les barons comme des otages s'ils ne respectent pas leur parole.

leurs bras. Pendant qu'ils s'efforcent de le soutenir, Renart saute
à terre et prend la fuite. Quand ils s'en aperçoivent, ce n'est
qu'un cri mais tous, tant qu'ils sont, ils renoncent à le poursuivre car ils n'ont pas affaire à une créature normale, mais à
210 un suppôt de Satan[27]. Ainsi s'arrête la poursuite et tandis que
Renart s'enfuit pour se mettre à l'abri d'une haie, les barons
emportent leur roi jusqu'à la grande salle de son palais. Huit
jours durant, on s'occupe de le soigner, de le faire se reposer :
peu à peu, les forces lui reviennent et il se remet complètement.
215    Voilà donc comme Renart en a réchappé. Aussi vous tous,
gare à vos manteaux[28] !

« Renart, Renart, dit le Lion, il y a des bourreaux qui vont maintenant vous faire
payer tous les crimes que vous avez commis dans votre vie », gravure du XIXe siècle.

| **27.** Démon. | **28.** Que chacun se tienne sur ses gardes.

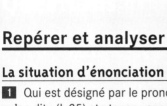
# Repérer et analyser

## La situation d'énonciation

**1** Qui est désigné par le pronom « vous » dans « et vous savez ce qu'on dit » (l. 25) et « tenez-vous bien » (l. 201-202) ?

## La progression du récit

**2** Quelle est la situation de Renart au début de l'épisode ?

**3** Le coup de théâtre

Un coup de théâtre est un événement inattendu qui change radicalement le cours d'un récit.

**a.** Relevez les verbes d'action évoquant qu'un événement inattendu survient dans l'action. Quel est cet événement ?

**b.** « Au moment où » (l. 161) : quel nouveau coup de théâtre cette conjonction annonce-t-elle ?

**4** Quelles actions s'enchaînent ensuite ? Quel est le dénouement de l'épisode ?

## Les relations entre les personnages

**5** **a.** Faites la liste des animaux qui assaillent Renart (l. 1 à 35). Relevez les verbes d'action qui évoquent la violence.

**b.** Comment expliquez-vous la violence des ennemis de Renart ?

**6** Quels personnages soutiennent Renart ?

**7** Pourquoi le roi libère-t-il Renart ? Pourquoi cherche-t-il à l'arrêter de nouveau ? De quel défaut et de quelle qualité le roi fait-il preuve ?

## La fiction animale

### Les personnages

**8** Noble et Dame Fière sont-ils des noms qui vous semblent convenir au lion et à la lionne ? Justifiez votre réponse. Pour quelle raison le récit donne-t-il la fonction de roi au lion plutôt qu'à un autre animal ?

### La famille

**9** Quel lien existe-t-il entre Renart et Grimbert le blaireau ? entre Dame Fière et le roi Noble ?

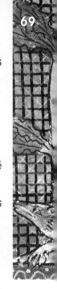

**10** Décrivez la famille de Renart, puis justifiez les deux opinions suivantes en citant le texte :
– Renart est aimé de sa femme et de ses enfants ;
– Renart aime sa femme et ses enfants.

## La satire

La satire est une critique que l'on adresse à un individu ou à une communauté en les tournant en ridicule.

**11** Quelle critique Renart adresse-t-il aux femmes dans la satire des lignes 88 à 97 ?

# Étudier la langue

### Le vocabulaire
**12** Qu'appelle-t-on un « fief » au Moyen Âge (l. 90) ?
**13** Qui sont les « barons » cités à la ligne 138 ? Utilisez ce terme dans une phrase où il aura son sens actuel.

# S'exprimer

### La délibération

Quand plusieurs personnes échangent leur point de vue et débattent d'un problème, on dit qu'elles délibèrent. Ce type de débat est une délibération.

**14** Une fois guéri, le roi décide de lancer une action contre Renart. Il réunit ses barons et les consulte sur ce qu'il convient de faire pour répondre à l'agression de Renart. Rapportez leur délibération.

# Créer

**15** En vous inspirant des noms de Dame Fière et du roi Noble analysés dans la rubrique « La fiction animale » (p. 68), inventez un nom pour chacun des animaux suivants : le chien, le tigre, le mouton.

Texte 8

# Renart, gardien du royaume

*Convoqué par le roi Noble, Renart, accompagné de Grimbert*
*le blaireau, arrive à la cour...*

Enfin arrivés à la cour, ils peuvent mettre pied à terre. Après
avoir confié les deux chevaux, ainsi que le bouclier et la lance
à Tiécelin le corbeau, ils pénètrent dans le palais. Parvenus
devant l'empereur, ils le saluent respectueusement. En homme
5 qui connaît les usages, Renart s'agenouille devant lui, mais
le roi lui ordonne de se relever et le fait asseoir à côté de lui :
« Je vous ai fait venir parce que j'ai grand besoin de vous,
Renart. Les païens[1] m'ont déclaré la guerre et ils ont envahi
mes terres. C'est le chameau qui est à leur tête. Il s'est déjà
10 emparé de deux de mes plus forts châteaux. Scorpions,
éléphants et tigres (ils sont tous devenus fous), buffles, droma-
daires rapides, bouffis d'orgueil et de morgue[2], vipères et
serpents, – on n'arrive même pas à savoir combien ils sont :
je crains qu'ils ne soient les plus forts pour ma honte. Il y a
15 même des lézards et des couleuvres parmi eux.
– C'est le diable qui s'en mêle. Il faut convoquer vos hommes
au plus tôt. Nous irons défendre votre terre.
– Par saint Pierre, vous avez raison Renart, je me range à
votre avis et je vais faire mander nommément[3] tous mes barons
20 sans exception. »
Et sans plus se soucier des réactions, favorables ou non, il
fait rédiger une convocation qu'il leur adresse à tous par un
courrier. Il n'en excepte (il peut bien s'en flatter) ni grue, ni
héron, ni ours, ni léopard, ni loup, ni chien, – et n'oublions

---

**1.** Infidèles, non chrétiens. Ici, les
musulmans (référence aux croisades).

**2.** Supériorité méprisante.
**3.** Convoquer en personne.

25 pas monseigneur Épineux le hérisson. Bernard l'archiprêtre
et Baucent main dans la main, Brun l'ours et le cheval monseigneur Ferrant et Tibert le chat, et Pelé le rat accourent aussitôt.
Mentionnons encore Ysengrin, Rousseau l'écureuil et Belin
qui tiennent tous deux Timer par la main. Il y avait aussi
30 Chantecler le noble coq, et le singe, et Couard, et Hardi le
lapin, et Rohart le corbeau, le frère de Tiécelin. À voir la foule
des arrivants, on est bien près de crier au miracle. Frobert le
grillon, lui aussi, se dépêche d'arriver. Bref, tous sont là sauf
Tardif. Appuyé à l'embrasure d'une fenêtre, le roi regarde
35 s'approcher étendards et enseignes[4] :

« Regardez, Renart, toutes ces compagnies de valeureux
barons. Leur puissance libérera mon pays de tous ses ennemis.
Que de bannières[4], de lances, de cuirasses brillantes et de
boucliers ! Nos adversaires seront vaincus, nous avons assez
40 de monde, Dieu merci ! Jamais je n'ai vu un tel rassemblement,
ni personne d'autre sans doute. »

On monte tentes et pavillons[5] dans les prés qui offrent tout
l'espace nécessaire. Une fois que tous sont installés, Brun l'ours,
en compagnie des principaux barons, monte au palais où le
45 roi les accueille sans dissimuler la joie qu'il éprouve à les voir.
Puis, il fait le point de la situation :

« Seigneurs, j'ai bien sujet de me plaindre auprès de vous
tous tant que vous êtes : ces traîtres de païens, ces fous ont
pénétré sur mes terres ; leurs armées s'emparent de mes
50 châteaux, de mes places fortes[6]. Je vous le dis tout net, il me
déplaît beaucoup que jusqu'à présent vous soyez restés sans
intervenir. Le chameau, en particulier, me cause bien du tort
en nous amenant ses païens. Mais ce ne sont pas les chrétiens
qui manquent, et les autres n'auront rien perdu pour avoir
55 attendu. Ma conviction est qu'ils ne pourront trouver de salut
que dans la fuite.

---

| **4.** Drapeaux (terme féodal). | **5.** Tentes militaires. | **6.** Forteresses.

– Ce ne sont pas les barons puissants qui vous manquent, tous de grande famille, fait le mouton Belin, ni les hommes sages, capables de vous aider de leurs conseils quant aux déci-
60 sions à prendre. »

Renart, qui était assis à côté du roi, intervient :

« Ma foi, seigneur Belin, j'apprécie vos paroles : ce sont celles d'un bon vassal. Mais il n'est plus temps de délibérer[7]. Passons à l'action. Nous nous mettrons en route demain matin.

65 – Je suis de votre avis, mais il nous manque monseigneur Tardif. Il n'est pas venu à la cour, je me demande pourquoi. »

Rousseau l'écureuil s'avance aussitôt pour répondre : « N'attendez pas Tardif, seigneur Belin, il ne viendra pas. Il est mort, je peux vous l'assurer. »

70 La nouvelle plonge le roi dans la désolation : « Dis-moi donc, Rousseau, je t'en conjure, où et comment il a trouvé la mort.

– Il a été tué, j'en prends Dieu à témoin ; je l'ai vu mort, de mes yeux vu, et j'ai vu aussi sa blessure. »

Le roi qui était très attaché à Tardif manifeste son émotion :
75 « Quel malheur ! Que dois-je faire à votre avis ? »

Ysengrin se lève pour lui conseiller de ne pas perdre plus de temps à s'enquérir[8] car on ne peut pas ressusciter un mort : « Puisque Tardif n'est plus de ce monde, cherchez quelqu'un à qui confier votre étendard et revêtez-le officiellement de sa
80 charge.

– C'est bien dit, par ma foi. Voyez donc, s'il vous plaît, seigneurs, qui nous pourrons choisir, je vous le demande au nom de Dieu.

– Volontiers, seigneur », répondent en chœur les assistants.
85 Mais voici qu'arrivent les fils de Renart. Ils pénètrent tous les trois dans le palais et saluent le roi en hommes qui savent sur quel ton parler à un souverain. Noble leur fait fête

---

| **7.** Discuter.                    | **8.** Enquêter, faire faire des recherches.

et les invite avec un mélange de courtoisie et de familiarité à s'asseoir à côté de lui, tout en les complimentant sur leur belle mine et leur politesse. Puis, il rappelle à ses hommes qu'ils doivent choisir un nouveau porte-étendard et que leur choix ne doit laisser place à aucune critique.

« Seigneur, dit Ysengrin en s'adressant au roi, sur la foi que je vous dois, le meilleur choix à faire me paraît être celui de Renart. Il est courageux, décidé, vaillant et il appartient à une grande famille.

– Vous avez raison, répond le roi. Je ratifie[9] donc votre choix : qu'il soit porte-étendard de par Dieu ! »

À cette nouvelle, Renart ne se tient plus de joie. En homme qui connaît les usages, il s'empresse de se jeter aux pieds du roi et de les lui baiser pour mieux lui manifester son contentement, avant de lui adresser la parole :

« J'ai trois beaux et grands fils, seigneur, que Dieu les garde ! Je voudrais vous prier de les armer chevaliers dès demain.

– Entendu, Renart, fait aussitôt le roi. Demain matin, ce sera chose faite. Nous aurons besoin d'eux dans les circonstances actuelles. »

Ainsi s'achève leur entretien. Les jeunes gens passent la nuit en prière dans l'église. Et le jour levé, c'est le roi lui-même qui leur ceint l'épée[10] et leur donne la colée[11] à tous trois. Aussitôt la cérémonie terminée, ils se tournent vers leur père :

« Que Dieu nous aide ! Nous devons partir dès ce matin. Mais, par saint Martin, je vous prie de demeurer ici et de me garder ma terre et mon royaume, avec Rovel et Malebranche. Quant à Percehaie, je veux l'emmener avec moi à l'armée : il y portera mon étendard de soie blanche. Mais vous trois, vous resterez ici avec un nombre suffisant d'hommes, qui vous auront juré fidélité. Tibert le chat en sera, et Ysengrin

**9.** J'approuve, je confirme.
**10.** Attache l'épée autour de la taille.
**11.** Accolade, geste de prendre dans ses bras.

(on connaît sa belle prestance et son noble maintien), avec
120 toute sa famille. Ce serment, je l'exigerai moi-même de tous,
même si cela ne plaît pas à certains. Pour ce qui est de la reine,
veillez bien sur elle, je vous la recommande particulièrement.
Je ne peux m'attarder davantage : je la confie à Dieu et à vous.

– Je vous obéirai scrupuleusement quelles que soient les
125 circonstances. Mais je souhaite recevoir expressément le
serment de fidélité des barons : il me semble que c'est une
exigence raisonnable.

– Vous allez avoir satisfaction », répond le roi. Il appelle
aussitôt à lui Tibert et Ysengrin : « Venez ici, seigneurs, et
130 amenez vos hommes. Ils jureront de rester avec Renart. Chers
seigneurs, dit-il s'adressant à tous, je vous charge de garder
mes terres en compagnie de Renart. Mais prêtez d'abord
serment de l'aider loyalement en toute circonstance dans la
mesure de vos moyens si on veut l'attaquer. »

135 Ils s'exécutent sans discuter. Cependant, avant de partir, le
roi doit encore s'occuper d'autres préparatifs. Il fait charger
chariots et chevaux de malles pleines d'argent. On y attache
aussi tentes et pavillons. C'est finalement un mardi au lever
du jour qu'ils partent, au nombre de cent mille, après avoir
140 pris congé. Ils chevauchent à travers la campagne, Percehaie
portant l'enseigne qui flotte au vent et le cœur plein de tristesse d'être séparé de Renart.

# Repérer et analyser

## Le cadre

**1** Où se déroule cette scène ? Relevez les indices de lieu.

## La progression du récit

**2** Dans quelle situation le roi se trouve-t-il au début de l'épisode ?

**3** Parmi les barons convoqués par le roi Noble, lesquels connaissez-vous déjà ? Lesquels sont de nouveaux personnages introduits dans l'action ?

**4** À qui le roi confie-t-il la garde du royaume ? Quels autres barons resteront également à la cour ?

**5** Quelle recommandation particulière le roi fait-il à Renart ?

## La fiction animale

### Les moyens de transport

**6** « Ils peuvent mettre pied à terre » (l. 1) : d'après cette expression, comment Renart et Grimbert se déplacent-ils ?

### La société animale

**7** **a.** Dressez la liste des animaux qui font la guerre au roi Noble.
**b.** De quelles régions du monde viennent-ils ?
**c.** Quel défaut chacun d'eux personnifie-t-il ?

**8** « Il est courageux, décidé, vaillant et il appartient à une grande famille » (l. 95-96) : sous quel jour Renart est-il présenté ici ?

### La personnification

**9** Lignes 57 à 60 : relevez un terme prouvant qu'en réalité, les animaux dans *Le Roman de Renart* ne sont pas des animaux.

## Les éléments réalistes

### Le monde féodal

**10** Comment sont armés les barons ? Relevez les termes qui permettent de reconnaître des chevaliers.

**11** Relisez les lignes 4 à 6 et 99 à 102 : quelle attitude doit absolument adopter un « bon vassal » vis-à-vis de son seigneur ?

## La parodie

**12** Relevez au moins cinq mots qui appartiennent au vocabulaire féodal : pourquoi peut-on parler ici de « parodie » (voir p. 8) ?

# S'exprimer

**13** L'armée ennemie a envahi les terres du roi Noble (l. 7 à 15) : décrivez l'armée ennemie dans son ensemble et faites un portrait plus détaillé du chameau.

# Se documenter

## L'adoubement

Au Moyen Âge, c'est le roi qui, lors d'une cérémonie officielle, donne à un jeune homme le titre de chevalier. Cette cérémonie s'appelle l'adoubement.

**14** Voici un extrait de Lancelot, célèbre roman en prose du XIIIe siècle. D'après ce texte, quel est le moment clé de l'adoubement ?

Il [Lancelot] prend congé des dames et des demoiselles et monseigneur Yvain le ramène dans la salle[1] ; après avoir regagné son logis, il lui arme la tête et les mains, mais au moment de lui ceindre l'épée, il se souvient que le roi n'en avait rien fait. « Seigneur, lui dit-il, vous n'êtes pas chevalier ! – Pourquoi ? fait le valet[2]. – Parce que le roi ne vous a pas ceint l'épée. Allons le trouver, il vous la ceindra. – Seigneur, attendez-moi donc, je courrai après mes écuyers qui emportent la mienne, car c'est celle-là que le roi doit me ceindre. – J'irai avec vous, fait monseigneur Yvain. – Non, seigneur. J'irai après eux de toute la vitesse de mon cheval et au retour je reviendrai tout droit à vous. »

Lancelot, traduit par Charles Méla, coll. 10/18, Union générale d'éditions.

| **1.** La grande salle du château.    | **2.** Le jeune homme.

Texte 9

# La guerre

*Accompagné de ses barons, le roi Noble est parti combattre les Infidèles dirigés par le chameau. Pendant ce temps, Renart, à qui il a confié la garde du royaume, file le parfait amour avec la reine !*

Quant à ce vicieux personnage, il est resté en compagnie de la reine dont il est amoureux, et depuis longtemps ; imaginez la joie de celle-ci et sa satisfaction. Il peut l'embrasser tout à son aise et sans rencontrer de résistance, bien au contraire.
5  Comblé par la présence de sa dame, il se préoccupe d'autre part d'approvisionner abondamment le château en nourriture, afin d'être en mesure de faire face à une attaque. Tout est donc au mieux pour les amants. Pendant ce temps, le roi poursuit son chemin avec les siens le plus rapidement possible.
10  Le temps leur est favorable : ni vent, ni gelée, ni pluie. Après force journées à cheval, ils parviennent à moins de trois lieues de l'armée sarrasine[1] qui avait mis le siège devant une place forte. Le roi, que cette vue plonge dans l'inquiétude, appelle ses barons :
15  « Seigneurs, écoutez-moi, au nom de Dieu ; faites déployer l'armée en ordre de bataille.
– À vos ordres, seigneur. Aux armes », s'écrient-ils. Ils se mettent à la tâche, répartissant leurs hommes en dix corps de bataille qui chevauchent en bon ordre. Percehaie porte l'étendard et conduit l'ensemble des troupes avec dignité. La répartition entre les différents régiments est la suivante : Couard le lièvre a le commandement du premier (de cela nous sommes

| **1.** L'armée des Sarrasins (c'est-à-dire les musulmans, aussi appelés infidèles ou païens).

sûrs) et le dirige sous l'enseigne qui flotte au vent ; Belin mène
le second, Tiécelin le troisième et Brun l'ours, connu pour sa
25  vaillance et sa force, a sous ses ordres le quatrième. Chantecler
(quel beau jeune homme !) a la charge du cinquième. Les docu-
ments nous apprennent que c'est Épineux le hérisson qui est à
la tête du sixième. Baucent le sanglier aux défenses acérées
conduit le septième. Roonel partage avec Rousseau le comman-
30  dement du huitième. Monseigneur Frobert guide le neuvième,
comme chacun peut le voir. Quant au dixième, c'est le roi en
personne qui est à sa tête avec le courtois Percehaie qui coor-
donne l'ensemble du dispositif. Monseigneur Bernard l'archiprêtre, homme de bon conseil et de paix, après leur avoir donné
35  à tous l'absolution[2], les exhorte[3] :

    « Soyez sans crainte ! Les infidèles[4] ne l'emporteront pas sur
vous, vous pouvez en être assurés. Contentez-vous de poursuivre votre chevauchée ; ils seront anéantis avant d'avoir eu
le temps de s'armer.

40  – Voilà une bonne et réconfortante parole, dit le roi. On
peut compter sur vous et vous avez droit à toute mon amitié
pour ce conseil. Par la foi que je dois à saint Sylvestre, vous
n'êtes pas le premier archiprêtre venu. Si Dieu m'accorde de
revenir vivant de cette bataille, je suis décidé à vous manifester
45  ma considération : je prends l'engagement solennel de vous
faire évêque.

    – Soyez-en remercié, seigneur », fait Bernard.

    L'armée reprend alors sa chevauchée sans que les suppôts
de Satan qu'elle avait en face d'elle se soient aperçus de rien,
50  jusqu'au moment où Couard leur tombe dessus et profite du
fait qu'ils sont désarmés pour faire de nombreux prisonniers.
Mais à travers l'armée ennemie, on crie « aux armes » et tous
se précipitent. Aussi, la situation aurait pu mal tourner pour

---

**2.** Le pardon des péchés commis pendant la vie.
**3.** Les encourage.
**4.** L'armée sarrasine
(c'est-à-dire les païens).

Couard sans l'intervention de Tiécelin qui ne lui ménage pas
son aide. Les affrontements sont aussi nombreux qu'acharnés.
Le corbeau, brandissant l'épée à la lame claire et aiguisée, en
frappe un scorpion, lui tranchant la tête et les pieds. Le
chameau, que cette mort afflige, court sus au[5] vainqueur, jurant
qu'il ne l'emportera pas en paradis, et il lui décoche une telle
ruade qu'il le jette à terre à la renverse. Il aurait été fait prisonnier sans Belin, qui, venant à la rescousse, s'interpose entre
les deux adversaires. Il heurte deux Sarrasins avec tant de force
qu'il leur fait sauter les yeux de la tête. Le chameau est fâcheu-
sement impressionné par une action dont la gravité ne lui
échappe pas. Et le mouton, prenant un nouvel élan, en décer-
vèle[6] un autre avec une vigueur incroyable : en voilà trois de
morts en un tournemain[7]. Cependant, il y serait resté à son
tour sans rançon[8], n'eût été[9] l'arrivée de Brun l'ours faisant
force d'éperons en compagnie de cent chevaliers qui détestent
les scorpions en qui ils voient des ennemis mortels. Ils se
fraient[10] un chemin au plus épais de la presse[11], désireux de
frapper de beaux coups, et ils abattent, morts, d'innombrables
adversaires. Pourquoi s'étendre davantage ? Les païens auraient
été battus et réduits à merci[12] (pas un seul n'en aurait réchappé)
si plus de dix mille scorpions n'avaient surgi au débouché d'un
vallon. Et de l'autre côté, voici Chantecler, avec tous ses
hommes : les hurlements des combattants blessés ou terrassés
s'élèvent aussitôt et on ne compte plus ceux qui ont reçu coups
et blessures, parfois mortels. Le farouche Chantecler y montre
toute sa prouesse ; sans s'épargner, il fait la preuve de sa
bravoure : il n'est personne dans l'armée à pouvoir l'égaler et
je me demande bien comment un si jeune homme, et pas plus
grand que lui, peut être aussi hardi et vaillant, au point

---

**5.** Attaque le.
**6.** Enlève la cervelle.
**7.** Un instant.
**8.** Les prisonniers peuvent être rachetés contre une rançon (une grosse somme d'argent).
**9.** Sans.
**10.** Tracent.
**11.** La foule.
**12.** Vaincus.

de se lancer à corps perdu dans les combats comme il le fait.
85 Le voilà qui se précipite au plus épais de la bataille et qui attaque
le buffle qui s'était avancé hors des rangs après nous avoir, à
lui seul, tué déjà plus de sept hommes (qu'ajouter à cela ?) Aussi,
Chantecler, qui voit d'un mauvais œil les siens ainsi mis à mal,
décide de l'affronter. Sans plus attendre, bien assuré sur ses
90 étriers et la lance solidement calée, il pique des deux[13]. Les
adversaires s'élancent l'un contre l'autre : c'est le buffle qui
est le premier à frapper ; d'un violent coup de lance, il brise le
bouclier de Chantecler, mais la cuirasse est assez résistante pour
empêcher l'arme de s'enfoncer davantage ; quant à la lance,
95 elle se brise en deux. Le coq, maître en l'art de porter des coups,
lui passe sa longue lance par le travers du corps si bien que la
pointe ressort par le dos. Inutile de s'occuper davantage du
buffle qui tombe mort de son cheval. Alors, Chantecler tire
l'épée et se replonge au cœur de la mêlée avec ses hommes, tout
100 aussi fougueux que lui. Bientôt, on ne peut plus compter les
morts ni les blessés. Mais quand ceux d'en face (et, parmi eux,
nombreux étaient les comtes et les rois) voient leur seigneur
mort, leur émotion et leur douleur sont grandes. À plus de cinq
cents ils se ruent sur le responsable, bien décidés, dans leur
105 colère, à lui faire subir un mauvais sort. Ils tombent à bras
raccourcis sur le coq et sur les siens, faisant beaucoup de blessés
et de morts. Chantecler et au moins cinq cents de ses hommes
succombent[14] pour la plus grande douleur du camp chrétien.
Ils allaient même être tous anéantis quand arrivent, à bonne
110 allure, monseigneur Épineux ainsi que Baucent et Roonel qui
se jettent dans la bataille. De grands bris de lances s'ensuivent.
Monseigneur Épineux se précipite au cœur de la mêlée. Il y
tombe sur le dromadaire que le hasard avait séparé des siens.
D'un seul coup, il lui tranche la tête, l'abattant mort sur place.

---

| **13.** Il s'élance.                    | **14.** Meurent.

115 Aussitôt, il embrasse hardiment son bouclier et, montrant bien qu'il n'est pas novice[15] en la matière, blesse ou tue nombre de ceux qui se trouvent sur son chemin. Et les siens ne sont pas en reste[16]. Les morts sont nombreux dans les deux camps. Mâtins et chiens de chasse y périssent en grand nombre, mais,
120 à la fin, l'ennemi a le dessous. C'est là qu'Épineux succombe et sa mort est douloureusement ressentie par le roi Noble et par l'ensemble de l'armée. Ils auraient été mis en déroute[17] à ce coup sans l'arrivée du grillon Frobert et de sa troupe. Il fait passer un mauvais quart d'heure à l'adversaire en lui tuant plus
125 de vingt mille hommes : autant qui ne retourneront plus chez eux. Dans leur panique, les serpents s'enfuient, poursuivis par les grillons qui les serrent de près en grand tumulte. Et voici le corps d'armée royal, conduit par Percehaie. Dès que le chameau le voit, il interpelle ses gens : « Seigneurs, nous ne
130 sommes plus de force contre eux. Je ne peux plus vous protéger. Or donc, chacun pour soi et sauve qui peut ! » Ils font volte-face[18] aussitôt, Frobert et les autres à leurs trousses, pressant l'allure. Quand le roi les voit s'enfuir : « Sus à eux ! » s'écrie-t-il. Le seigneur Frobert les suit de près avec les siens, ainsi que
135 le reste de l'armée. Et le roi, la lance solidement calée, en fait autant. Ils les font reculer jusqu'à la mer et les forcent à y entrer à l'exception du chameau qui réussit à s'enfuir par les terres ; mais Monseigneur Frobert se lance à sa poursuite, s'empare de lui et l'amène au roi par la rêne :

140 « Seigneur, grâce à Dieu, tous vos ennemis sont vaincus. Voici leur chef que je remets entre vos mains. »

Le roi l'en remercie et c'est une joie générale dans l'armée. On a vite fait de désarmer le chameau. Sitôt débarrassé de sa cotte de mailles[19], il se jette aux pieds du roi.

---

**15.** Inexpérimenté, débutant.
**16.** Les combattants de son camp (les chrétiens) sont également très actifs dans la bataille.
**17.** Mis en fuite.
**18.** Demi-tour.
**19.** Son armure.

145    « J'implore ta pitié et je me reconnais comme ton prisonnier : tu peux faire de moi ce qu'il te plaira. Mais pardonne-
moi, pour cette fois, le mal que je t'ai fait.

– Je m'en voudrais d'avoir pitié de toi. Tu vas être supplicié
et mis à mort par le feu ou autrement, comme le traître que
150    tu es ! »

Il appelle aussitôt Brun l'ours, Baucent et Tiécelin, Roonel,
Rousseau et Belin, ainsi que Percehaie et le seigneur Frobert
pour leur demander leur opinion :

« À quel supplice dois-je soumettre ce traître, ce renégat[20],
155    pour faire justice de lui au mieux ?

– Je suis d'avis, par saint Riquier, que vous le fassiez écorcher[21], si cela vous convient, propose Frobert.

– Soit. »

Aussitôt, on fait étendre le chameau à terre et on l'écorche
160    sur l'heure. C'est Baucent qui lui donne le premier coup de
dent, suivi de Roonel et de Brun l'ours qui n'est pas en reste.
Ils partent de la queue et lui arrachent la peau à rebours.
Justice est faite. Le roi se réjouit fort d'être venu à bout de ses
ennemis. Son seul regret est pour ceux des siens qui sont
165    morts : ce n'est pas là ce qu'il aurait voulu. Il les fait tous
enterrer, sauf Épineux et Chantecler qu'il ne se résigne pas à
laisser sur place. Il fait faire deux cercueils pour ramener leurs
corps. Puis, ayant hâte d'être à nouveau chez eux, l'empereur
et ses hommes prennent le chemin du retour, à tranquilles et
170    joyeuses étapes.

---

| **20.** Traître, infidèle.                    | **21.** Arracher la peau.

# Repérer et analyser

## Le narrateur

**1** Relevez une phrase dans laquelle le narrateur révèle les sources de son récit (l. 17 à 35).

## Les forces en présence

**2** Quels sont les deux camps présents sur le champ de bataille ?
**3** Comment est organisée l'armée du roi ?
**4** Relevez les termes montrant que les deux armées s'affrontent en réalité dans une guerre de religion.
**5** **a.** Lequel de ces deux camps représente le Bien ? et le Mal ?
**b.** Que symbolise la victoire du roi Noble ?
**6** En vous aidant des connecteurs (« alors », « mais », « et »...), repérez les grands moments de la bataille. Donnez-leur un titre en réutilisant certains termes de guerre du texte.
**7** À quoi attribuez-vous la victoire du roi Noble ?

## La fiction animale

### La personnification

**8** « Chantecler (quel beau jeune homme !) » (l. 25-26).
Par quel terme le narrateur souligne-t-il ici la personnification du coq ?
**9** Retrouvez dans le dernier paragraphe une phrase qui confirme la personnification des animaux dans cet extrait.

### L'exercice du pouvoir

**10** **a.** En citant des phrases du texte, justifiez le rôle du roi dans cet épisode : il organise la bataille ; il promet des récompenses ; il combat.
**b.** En citant le texte, montrez que les barons ont eux aussi du pouvoir et qu'ils participent aux grandes décisions du roi.

### La violence

**11** Les animaux luttent-ils comme des hommes ou comme des bêtes ? Justifiez votre réponse en faisant référence au comportement du chameau et de Chantecler (citez le texte).

**12** « C'est Baucent qui lui donne le premier coup de dent » (l. 160-161). Quelle métamorphose de Baucent est ici suggérée ?

## Les éléments réalistes

**13** Quel est le châtiment infligé au chameau ? Relevez les termes les plus réalistes par lesquels le narrateur développe cet épisode (l. 159 à 162).

## La parodie de l'épopée

L'épopée met en scène un héros aux prises avec des forces qui le dépassent. Le style épique utilise l'amplification (figure de style qui consiste à exagérer la réalité).

**14** Relevez tous les chiffres, les notations de bruit, les verbes de mouvement montrant l'importance considérable de la bataille.

## Les hypothèses de lecture

**15** Que se passe-t-il à la cour pendant l'absence du roi Noble ? À votre avis, qu'arrivera-t-il au retour du roi ?

# S'exprimer

### Le récit épique

**16** En vous aidant de ce qui est dit ci-dessus sur le style épique, racontez un combat singulier (face à face) entre un chameau et un lion non personnifiés.

# Se documenter

### La Chanson de Roland

**17** a. Trouvez dans votre bibliothèque personnelle ou au CDI *La Chanson de Roland*, fameux récit épique du Moyen Âge.
b. Isolez un passage de bataille où l'on retrouve des scènes de combats épiques semblables à celles du *Roman de Renart*.

## Texte 10

# Renart empereur

*Nous retrouvons Renart qui garde le royaume, en l'absence du roi Noble parti combattre les infidèles...*

Mais laissons là Noble et revenons à ce mal embouché[1] de Renart, ce fourbe trompeur. Un certain temps de réflexion l'amène à se dire qu'il a une chance de se retrouver roi et empereur avant la fin du mois (pourvu que Dieu lui soit favorable)
5　en faisant croire aux barons que le lion est mort. Il se dépêche de rédiger un message puis fait venir un serviteur :

« Écoute bien ce que je vais te dire, mon ami, et promets-moi de garder le secret sur les consignes que je vais te donner.

– Vous pouvez me faire confiance, seigneur. Je n'en souf-
10　flerai mot, soyez sans crainte ; je vous en donne ma parole. »

Avec cette assurance, Renart s'ouvre à lui :

« Voici ce que je voudrais que tu fasses : demain, tu te présenteras devant les barons qui sont à la cour et tu leur annonceras sans barguigner[2] que le roi a été tué. Après quoi, tu me remet-
15　tras la lettre que voici en leur présence.

– À vos ordres, seigneur, et advienne que pourra. »

Il remet donc le pli au garçon qui s'en saisit et, après avoir pris congé, s'éloigne rapidement sans être vu d'âme qui vive. Pendant ce temps, Renart est au comble de l'impatience : son
20　projet va-t-il réussir ? Non sans astuce, le messager attend le point du jour pour sortir de la ville. Il fait galoper son cheval à travers la campagne, suffisamment pour le mettre en sueur puis le ramène à vive allure, lui mettant les flancs en sang à coups d'éperons. Franchissant la porte à bride abattue,

---

| **1.** Mal élevé. | **2.** Hésiter.

25  il pénètre dans l'enceinte[3]. Puis, après avoir mis pied à terre, c'est en courant qu'il entre dans le palais. Il salue d'abord Renart, puis la reine, comme on le fait pour une dame de son rang.

« Dame, le roi vous salue et ordonne qu'on lise ce message
30  aux barons. Il vous fait dire par mon intermédiaire qu'il a reçu au combat une blessure mortelle.

– Mortelle ! dit Renart, malheur à moi ! Monseigneur le roi est donc mort ? »

À ces mots, il se jette sur le messager et lui fend le crâne d'un
35  coup de bâton qui le laisse mort sur place : « Tais-toi, dit-il, à Dieu ne plaise que nous ayons ainsi perdu le roi ! »

Avez-vous compris la raison de ce geste ? C'est que Renart ne voulait pas courir le risque d'être dénoncé par le garçon : d'où sa ruse. Il prend alors le message comme si de rien n'était
40  et, au vu de tous les barons, le donne à Tibert le chat qui le parcourt de bout en bout, moustaches dressées.

« Sur ma tête, Renart, le roi est bel et bien mort. Il fait dire à tous les siens sa volonté que dame Fière épouse Renart en tout amour et que celui-ci soit reconnu immédiatement et sans
45  contestation comme souverain de tout le royaume. »

Ce qu'ayant entendu, la reine se contente de répondre :

« Puisque telle est sa volonté, je dois la respecter. Je vois bien qu'il n'y a pas d'autre solution. Le sort du royaume est lié au mien, puisque je suis la reine et que je dois le demeurer. Mais
50  je voudrais savoir si le seigneur Renart accepte également.

– Mais oui, dame, et je suis prêt à me conformer sans retard à vos ordres.

– C'est là bien parler, seigneur, sur ma foi. »

Les barons sont à la fois peinés pour le roi qui ne reviendra
55  pas et contents d'avoir Renart comme nouveau seigneur.

---

| **3.** Un mur fortifié entoure le palais du roi.

L'échange des serments[4] entre le goupil et la reine a lieu aussitôt et c'est la liesse[5] dans le palais qui retentit des chansons et des lais joués par les jongleurs sur leurs vielles. Dames et jeunes filles dansent. Toutes et tous mènent grande joie; on dormit
60 peu cette nuit-là. Le lendemain, sans plus attendre, Renart épouse la dame. Tous les barons du royaume lui prêtent serment de fidélité et s'engagent solennellement à lui venir en aide dès qu'il aura besoin d'eux, ce qu'il se garde bien de refuser. La danse et les jeux réunissent tous les participants au
65 milieu de l'allégresse générale. Puis le connétable Ysengrin, dont c'est la charge, fait dresser les tables et circuler les aiguières[6] pour se laver les mains. Tous s'assoient pour manger. Grimbert le blaireau, le cousin germain de Renart, apporte le premier service, un plat digne d'une aussi noble assistance.
70 Je crois bien qu'il y eut une vingtaine de services, mais je ne les ai pas comptés. À la fin du repas, tous se lèvent rapidement. Les premiers à le faire sont Tibert et Grimbert, les deux bons compagnons, qui vont bénir le lit nuptial[7]. Après quoi, ils se retirent gais et contents, tandis que les amants restent
75 pour se livrer à leur plaisir jusqu'au petit jour. Monseigneur Renart se lève alors, fort satisfait et fier de lui, et se dépêche de faire ouvrir le trésor[8] car ils ne veulent pas attendre davantage. Il distribue une partie de son contenu en or et en argent aux siens[9] de façon à ne plus avoir à y revenir et fait porter le
80 reste à Maupertuis car il craint, non sans raison, d'avoir à faire face au roi au cas où celui-ci reviendrait, et il veut être en mesure de lui résister. C'est pourquoi il accumule assez de provisions pour pouvoir soutenir un siège d'au moins sept ans à mon avis. En effet, la situation de son château[10] le rendant

---

**4.** C'est-à-dire le mariage.
**5.** Fête.
**6.** Vase à eau muni d'une anse et d'un bec.
**7.** Des époux.

**8.** Les richesses du roi.
**9.** À sa famille.
**10.** Le château du roi.

85 imprenable, on ne peut le réduire qu'en affamant ses occupants. Il le met donc en état de faire face à toute éventualité,
et ses souhaits sont comblés quand il se voit proclamé empereur. Alors il ne se connaît plus de joie. Cependant, il continue
de munir son château de tout ce qui est nécessaire. La reine
90 le chérit et l'aime comme son légitime époux, car, dit-on, il
l'aimait plus que n'avait fait monseigneur Noble le lion.

La joie règne entre eux sans mélange, mais cela ne va pas
durer. Car voici que le roi est sur le chemin du retour, ramenant tristement avec lui les corps de Chantecler et du hérisson
95 portés sur des litières faisant fonction de civières. Il dépêche
l'écureuil pour annoncer son arrivée, mais celui-ci ne peut
pénétrer dans le château dont les ponts ont été relevés. Renart
l'interroge du haut des murs où il était accoudé :

« À qui appartenez-vous ? De quel pays êtes-vous ?

100 – Seigneur, fait-il, je suis homme de monseigneur Noble
le lion, par saint Simon. Grâce à Dieu, l'expédition qu'il avait
entreprise a été un succès complet et il revient, vainqueur
de tous ses ennemis. Son seul sujet de chagrin, – mais il est
grand –, est la mort de Chantecler et du seigneur Épineux
105 dont il ramène les corps en litière.

– Que Dieu m'aide, dit Renart. Qu'il vienne tant qu'il
voudra, mais il ne mettra pas les pieds ici. Allez lui dire que,
désormais, le roi c'est moi et que je n'ai rien à ajouter. »

Ces propos font suffoquer d'indignation l'écureuil qui
110 rétorque aussitôt :

« Comment, seigneur Renart ? Qu'entendez-vous par-là ?
Est-ce une plaisanterie ou voulez-vous dire sérieusement que
le roi n'entrera pas ici ?

– Je parle tout ce qu'il y a de plus sérieusement : il ne mettra
115 pas les pieds ici de son vivant. C'est mon dernier mot. »

L'écureuil se dépêche alors de tourner les talons. Il n'a pas
loin à aller pour retrouver le roi à qui il raconte immédiatement

toute l'histoire en lui rapportant les paroles mêmes du goupil. Noble, le visage assombri et déformé par la colère à ce récit, interpelle les barons :

« Seigneurs, vous avez entendu ce que le mot de "service[11]" signifie pour Renart. Il a pris possession de ma terre et se fait donner le titre de roi. Je requiers de vous conseil et aide.

– Seigneur, dit Brun l'ours, dès demain, sans faute, nous donnerons l'assaut à coups de pierrières[12] et de catapultes[13]. Oui, c'est ce que nous ferons s'il veut défendre vos propres châteaux contre vous. Si nous le faisons prisonnier, pas question de rançon : nous le pendrons au sommet de ce tertre. Voilà mon conseil.

– La raison parle par votre bouche », fait Noble.

**Renart assiégé par le roi Noble et ses barons. Miniature du XIIIe siècle.**

**11.** Service féodal : un vassal doit à son seigneur respect, obéissance et assistance (voir p. 53).

**12.** Arme avec laquelle on jetait des pierres.
**13.** Machine de guerre antique qui projette de lourds projectiles.

# Repérer et analyser

## La situation d'énonciation et le cadre

**1** Relevez les passages dans lesquels le narrateur s'adresse à son public. Quel est l'intérêt de ces interventions ?

**2** Relevez les termes qui décrivent le château : sur quel aspect le narrateur insiste-t-il ? Pourquoi ces précisions sont-elles importantes ?

## La progression du récit

**3** Quelle ruse Renart imagine-t-il pour s'emparer du pouvoir ?

**4** Quelles actions s'enchaînent ensuite ?

## La fiction animale

**5** « Moustaches dressées » (l. 41) : les moustaches font-elles référence à l'homme ou à l'animal ? Quel sentiment cette attitude traduit-elle ?

## Les éléments réalistes

**6** « Lui prêtent serment de fidélité » (l. 61-62) ; « service » (l. 121) : d'après ces termes, quels sont les devoirs d'un vassal envers son seigneur ?

## La satire

**7** À travers Dame Fière, que condamne l'auteur ?

# Étudier la langue

**8** Donnez la définition des mots « lais » (l. 58) et « vielles » (l. 58).

# Écrire

**9** Rédigez la lettre que le roi est supposé avoir écrite à Renart : son message devra être rédigé à la première personne et devra notamment exposer les dernières volontés du lion.

Texte 11
# La mort de Renart

*Renart et Chantecler viennent de s'affronter en combat singulier. Déchaîné, le coq a pris le dessus. Pour échapper à une mort certaine, Renart fait semblant... d'être mort !*

Le roi Noble regagne donc sa tente tandis que les barons reprennent dans la joie le chemin de leurs demeures. Ils laissent Renart gisant la gueule ouverte au fond du fossé, comme si la vie l'avait abandonné : spectacle réjouissant pour ses
5 ennemis. C'est alors que le corbeau et dame Brune la corneille quittent la cour à l'insu de tous et se hâtent en direction du fossé où Renart, un œil et une oreille en moins, se mourait de faim.

« Rohart, dit la corneille, je veux retourner voir ce crève-
10 la-faim tant qu'il fait jour. Par les saints qu'on va honorer en Galice, nous allons nous occuper de sa pelisse. Il est mort, inutile de se méfier. »

Renart les voit et les entend, mais comme il est blessé, il continue de jouer la comédie, préférant garder le silence. Il a
15 bien l'intention de rester sans bouger jusqu'à la nuit ; mais il a compté sans Rohart et Brune qui arrivent à toute allure et se perchent sans crainte sur lui. Le premier, Rohart lance le bec en avant et le plante dans sa chair. D'un mouvement de mâchoires, Renart le saisit par la cuisse et tire avec tant de
20 brutalité (c'est ce que dit le conte) que, non content de faire voler les plumes, il arrache le membre net au ras du croupion. Vilaine blessure que celle-là ! Rohart, affolé, réussit cependant à se percher sur le rebord du fossé. Le mouvement du goupil fait sursauter la corneille qui le voit en train de se redresser.
25 Il saute alors sur ses pieds et, la cuisse entre ses dents, s'éloigne, laissant derrière lui un Rohart éperdu.

De son côté, Renart ne vaut guère mieux ; un œil crevé, une oreille coupée, il s'enfuit à toutes jambes. Trouvant la porte de son château ouverte, il s'y engouffre, y cherchant refuge à
30  sa détresse. À sa vue, Hermeline est plus heureuse que si on lui donnait un royaume, mais elle s'effondre de douleur quand elle remarque l'état de sa tête ; avec ses renardeaux, elle laisse bruyamment éclater son chagrin. À eux quatre, ils le couchent sur un lit.

35  Pendant ce temps, Rohart agonisant se lamente auprès de la corneille :

« Dites-moi, chère amie, comment vais-je faire pour aller à la cour ? Renart m'a serré de trop près, que faire ?

– Sur ma foi, seigneur, je vais vous porter dans mes bras. Je
40  suis aussi affligée qu'indignée du malheur qui vous arrive. »

Ayant retroussé ses vêtements pour avancer plus aisément, Brune éplorée s'en va trouver le roi qui siège sous sa tente :

« Justice, seigneur roi, crie-t-elle. Je vous amène Rohart, le corbeau, votre ami. Je me plains à vous de ce maudit Renart.
45  Le fourbe a encore perpétré un de ses mauvais coups : il a arraché la cuisse à Rohart ; après quoi, il s'est enfermé dans son repaire de Maupertuis. Il doit l'avoir dévorée maintenant ! Noble roi, ne tardez pas davantage à vous venger des méfaits et des injures dont il ne cesse de se rendre coupable envers
50  vous. Cette situation n'a que trop duré. Il vient d'arracher un membre à l'un de vos vassaux. Cela fait quatre fois, ne l'oubliez pas, qu'il encourt[1] votre colère. Le traître qui a osé agir ainsi a bien mérité la mort.

– Seigneur, justice pour moi, fait Rohart à son tour, car je
55  suis blessé à mort. J'ai perdu un pied et une cuisse dans cette affaire et je n'ai plus bien la tête à moi, mais je crois que je n'ai plus beaucoup de temps devant moi. Si je ne suis pas vengé

| 1. Verbe encourir, signifiant « s'exposer à ».

du déloyal, du traître qui me vaut de passer par cette épreuve, le blâme en retombera sur vous, et à juste titre. »

60 À ces mots, le roi se lève et répond aussitôt :

« Seigneur Rohart, celui qui vous a mis dans cet état n'y aura rien gagné. » Et il ordonne à ses hommes et à ses barons de se préparer immédiatement : « Par les saints de Rome, je vais me rendre de ce pas à Maupertuis, et peu m'importe que ce soit

65 ou non la saison de partir en campagne. Je ferai raser la forteresse, j'en ferai sortir Renart de force et il sera pendu comme un malfaiteur en présence de mes vassaux. Tel est le sort que je lui réserve.

– Oh non, cher seigneur, fait Grimbert le blaireau, nous

70 irons plutôt, frère Hubert et moi, avec votre permission, nous présenter à la porte de Maupertuis. Nous transmettrons votre message à Renart en faisant confiance à sa sagesse. Nous lui dirons de se rendre à votre convocation, si vous êtes d'accord pour le mander, et nous vous rappor-

75 terons sa réponse.

– Alors, dépêchez-vous d'y aller, fait le roi irrité, se redressant de toute sa taille, et dites-lui, sur l'œil qui lui reste, qu'il vienne me rendre compte des motifs qui l'ont poussé à s'en prendre à l'un de mes hommes. »

80 Grimbert et Hubert s'empressent d'obéir. Tardif les précède pour s'occuper du gîte[2] aux étapes. Les deux autres le suivent en pressant l'allure. Je n'ai pas l'intention de vous raconter leur voyage en détail et je les retrouve au moment où ils arrivent à Maupertuis. C'était toujours un lit de douleur pour

85 Renart que celui où il était couché. Hubert, le porteur du message, et Grimbert se présentent à la porte. D'une voix forte, ils hèlent[3] les occupants :

« Ouvrez aux messagers du roi. »

---

| **2.** Logement.                    | **3.** Appellent.

Renart, au bruit qu'ils font, ordonne au portier qui n'a pas
90   l'habitude de négliger son travail, de faire ce qu'il a à faire et
de répondre à ces gens qui mènent un tel vacarme. Le portier,
qui se distinguait par sa queue torse[4] et velue, se hâte de les
interpeller comme il doit le faire, du haut de la barbacane :

« Qui êtes-vous ?

95   – Nous venons de la part de monseigneur Noble le lion et
nous voulons parler à Renart. »

Dès que le portier a compris qui ils sont, il fait basculer en
arrière la porte qui était baissée. Grimbert qui se présente le
premier, entre à reculons. Après avoir franchi le premier seuil,
100  il invite le milan[5] à pénétrer :

« Venez, seigneur Hubert ; mais penchez-vous, car la porte
est basse.

– Je crains, par saint Léonard, que Renart n'ait pour la
deuxième fois l'intention de m'inscrire à son menu. Je vais
105  rester ici à vous attendre. J'aime mieux être au large. »

Grimbert doit en passer par où il plaît à Hubert ; mais, quant
à lui, il s'avance et le goupil lui demande en prenant un air de
profonde souffrance ce qu'il vient chercher :

« Mon cher voisin, je suis votre cousin germain ; il est donc
110  naturel que j'aie de l'amitié pour vous. Monseigneur Rohart
le corbeau vous a accusé devant la cour, et le roi et ses barons
n'ont pas regardé d'un bon œil votre conduite à son égard.
Ne le prenez pas mal, mais Noble vous demande – et le droit
est de son côté – de venir sans délai le trouver pour vous justi-
115  fier de l'accusation portée contre vous. Vous auriez tort de
refuser d'y aller, puisqu'il s'agit de défendre votre droit.

– À quoi bon y aller, cousin ? Je n'y mettrai plus les pieds,
car on m'y a fait trop d'ennuis. Retournez auprès du roi
et dites-lui que le corbeau a eu raison de moi ; Hermeline,

---

| **4.** Tordue.   | **5.** C'est-à-dire Hubert (le milan est un rapace).

120 votre parente et amie, que ma mort a plongée dans la plus
amère douleur, m'a fait enterrer là, dehors, dans cette tombe,
au pied de la croix, sous ce buisson d'épines. Quand vous aurez
repassé la porte, vous trouverez effectivement la tombe d'un
paysan qui s'appelait Renart. Le nom est écrit dessus, vous
125 pourrez dire au roi que vous l'avez vu de vos propres yeux.
Avant votre départ, ma femme et mon fils Rovel vont vous la
faire voir, elle a été fraîchement creusée.

– Entendu, fait Grimbert. Je vais donc prendre congé de
vous avec votre permission. »

130 Et il se retire, ainsi qu'Hubert et Tardif. Hermeline et Rovel
les conduisent jusqu'à la tombe.

« Comme l'indique l'inscription que vous pouvez lire, chers
seigneurs, Renart le goupil gît pour votre chagrin sous cette
pierre. Priez Jésus-Christ d'avoir pitié de son âme. Voilà mes
135 enfants orphelins et moi, malheureuse abandonnée, je suis si
pauvre que je n'ai plus rien, robe de lin ou de laine, à me
mettre. »

Elle rentre alors dans l'enceinte et eux se dépêchent de
retourner auprès du roi. Quand ils arrivent, il est sous sa tente.
140 Grimbert, le visage mouillé des larmes qu'il avait versées, s'agenouille devant lui. À cette vue, Noble laisse déjà paraître
quelque émotion. C'est le milan qui prend la parole :

« Seigneur, nous revenons bredouilles de Maupertuis. Renart
est mort et enterré. Pendant que Rohart se réfugiait ici, il était
145 si mal en point qu'il n'a pas survécu. Il est bel et bien enterré,
nous avons vu sa tombe et nous savons à coup sûr que le
corbeau qui est à présent dans un tel état de faiblesse a causé
sa mort. S'il est blessé, Renart, lui, est mort. Que le Saint-
Esprit veuille bien mettre son âme au septième ciel, là où il n'y
150 a plus ni pauvres ni miséreux ! »

Quand le roi sait ce qu'il en est, son émotion ne se dissipe
pas, bien au contraire : c'est maintenant la mort de Renart

qui en est la cause. Il se lève et laisse éclater une douleur sans limites :

155 « Quel malheur d'avoir perdu le meilleur de nos barons ! Et je ne vois pas comment je pourrai jamais tirer vengeance de cette mort ! Je donnerais la moitié de tout ce que je possède pour qu'il soit encore vivant ! »

Et sur ces mots, il sort de sa tente et monte dans son palais.

160 J'achève ici de vous raconter la vie et l'enterrement de Renart. Telle est aussi la fin de son histoire.

L'enterrement de Renart. Miniature du XIIᵉ siècle.

# Repérer et analyser

## Le narrateur

**1** Relevez les passages dans lesquels le narrateur fait un commentaire. À qui s'adresse-t-il ? Quel est le rôle de ces interventions ?

## Le cadre

**2** Quels différents lieux servent de cadre à l'action ?

## La progression du récit

**3** Dans quelle situation Renart se trouve-t-il au début de l'épisode ? Relevez les expressions qui le décrivent.

**4** Pour quelles raisons Renart arrache-t-il la cuisse de Rohart ?

**5** Comparez la scène décrite lignes 17 à 26 avec le récit qu'en font Brune (l. 43 à 53) et Rohart (l. 54 à 59) : quel épisode la corneille et le corbeau passent-ils sous silence ?

**6** **a.** Quelles actions s'enchaînent jusqu'à la fin de l'épisode ?
**b.** L'histoire de Renart vous paraît-elle terminée ?

## La fiction animale

### Les couples

**7** « À eux quatre, ils le couchent sur un lit » (l. 33-34) : à votre avis, que suggère le narrateur en précisant « à eux quatre » ?

### Les sentiments

**8** Qui vous paraît le plus sage : le roi (l. 61 à 68) ou Grimbert (l. 69 à 75) ? Justifiez votre réponse.

**9** **a.** Relevez tous les termes appartenant au champ lexical de la mort dans les lignes 117 à 127.
**b.** Par quels termes s'exprime le chagrin d'Hermeline ? celui du roi ? Lequel de ces deux personnages est sincère ? Justifiez votre réponse.

**10** Le roi Noble est en colère (l. 76 à 79), puis laisse éclater son chagrin (l. 151 à 158) : quelle est à chaque fois son attitude ? Relevez le lexique et les types de phrases qui traduisent ses sentiments.

**11** Quel lien existe-t-il entre Rohart le corbeau et Brune la corneille ? et entre Renart et Hermeline ?

## Les hypothèses de lecture

**12** Le lecteur est-il triste à la fin de cet épisode ? Justifiez votre réponse.

# Étudier la langue

**13** « Gît » (l. 133) : que signifie ce verbe ? Donnez son infinitif et son participe présent.

# S'exprimer

### Le monologue

Un monologue est le discours d'une personne seule qui pense et qui parle tout haut.

**14** « Renart les voit et les entend, mais comme il est blessé, il continue de jouer la comédie, préférant garder le silence » (l. 13-14).
Faites parler Renart sous la forme d'un monologue dans lequel il commentera sa situation, exprimera ses sentiments et ses projets.

# Créer

**15** Vous allez écrire un roman imité du *Roman de Renart*. Préparez votre travail.
**a.** Créez vos personnages en vous aidant de la grille suivante.
**b.** Donnez un titre à ce roman.

| Personnage | Traits de caractère | Traits physiques | Prénom |
|---|---|---|---|
| L'hirondelle | | | |
| La chauve-souris | | | |
| Le hibou | | | |
| Le pigeon | | | |
| Le moineau | | | |
| Le vautour | | | |

# Un genre : le conte médiéval

## L'auteur

**1** Connaît-on les auteurs du *Roman de Renart* ?

## La situation d'énonciation

**2** À qui les différents narrateurs du *Roman de Renart* s'adressent-ils ? À l'origine, les destinataires sont-ils des auditeurs ou des lecteurs ? Justifiez votre réponse.

**3** Relevez quelques interventions du narrateur. Sur qui ou quoi ses commentaires portent-ils ? Quel est l'effet produit ?

## Les personnages

**4** Pourquoi peut-on dire que Renart est le héros du roman qui porte son nom ?

**5** Relevez les mots et expressions par lesquels le narrateur désigne Renart dans les différents épisodes. Quelle image est-elle donnée de lui ?

**6** Faites la liste des amis et des ennemis du goupil, y compris dans sa famille.

**7** Quels sont les traits dominants du roi Noble ?

## L'action

**8** Faites la liste des mauvaises actions de Renart.

**9** Dans quels épisodes triomphe-t-il ? Dans quels épisodes est-il puni pour ses méfaits ?

## Les thèmes

**10** Dans quels épisodes le thème de la faim apparaît-il ? Qui sont les personnages successivement en proie à la faim ?

**11** Dans quels épisodes trouve-t-on le thème du « trompeur trompé » ?

### La société du Moyen Âge

**12** Qu'avez-vous appris sur la relation du seigneur avec ses vassaux ?
**13** Comment vivent les moines du Moyen Âge ?

### Le comique

**14** Retrouvez dans le roman un exemple d'ironie, de parodie, de satire. Donnez la définition de ces trois types de comique.

### Le réalisme

**15** Définissez le réalisme.
**16** Citez les scènes les plus réalistes du roman.

# Un thème : la fiction animale

### La personnification

**17** En vous aidant de la liste suivante, expliquez quels traits Renart, Noble, Ysengrin, Hermeline et Dame Fière empruntent aux êtres humains (reportez-vous à la rubrique « La fiction animale ») : l'apparence physique, la nourriture, le logement, les moyens de locomotion, la parole, les attitudes, les sentiments, les relations familiales, les relations sociales.

### La satire

**18** Quels défauts la fiction animale permet-elle de dénoncer chez les hommes ? chez les femmes ? chez les moines ?

### La tradition littéraire

**19** Citez deux écrivains du XVIIe siècle ayant composé des œuvres qui reposent sur une fiction animale.

Deuxième partie

# La fiction animale

## Apulée
# L'Âne d'or

*Apulée est un écrivain latin qui a vécu au IIᵉ siècle (125-170). Son chef-d'œuvre,* L'Âne d'or, *un roman en onze livres, s'appelle aussi* Les Métamorphoses. *Il raconte les aventures d'un jeune homme transformé en âne par une magicienne.*

*Dans l'extrait ci-dessous, l'âne a été acheté par deux esclaves dont l'un est pâtissier et l'autre cuisinier. Chaque soir, pendant l'absence de ses maîtres, l'animal se régale des mets les plus succulents. Irrités, les deux esclaves sont bien décidés à mettre la main sur leur voleur.*

Pendant ce temps, à force de me nourrir aussi magnifique-ment et de me gaver tout mon soûl[1] de mets préparés pour des hommes, mon corps s'était rempli, était devenu gras, obèse, mon cuir[2], à force de graisse succulente, s'était assoupli,
5  et mon poil, bien nourri, avait pris un brillant magnifique. Mais ces avantages physiques entraînèrent pour mon honneur une grande humiliation. Frappés par l'ampleur de ma croupe et voyant, d'autre part, que mon foin demeurait, chaque jour, intact, ils firent alors porter sur moi toute leur attention. À
10  l'heure habituelle, ils font semblant de partir au bain, ferment la porte comme à l'ordinaire et, m'épiant à travers une petite ouverture, ils me voient en train de donner tous mes soins aux nourritures étalées un peu partout. Sans plus se soucier, alors, du tort que je leur fais, émerveillés de l'extraordinaire
15  plaisir que se donne leur âne, ils partent d'un grand éclat de rire, appellent un de leurs camarades, puis deux, puis un grand nombre et leur montrent ce spectacle vraiment inouï

| 1. Jusqu'à être complètement rassasié. | 2. Ma peau.

et prodigieux : une stupide bête de somme[3] qui est un fin gourmet ! Tous furent pris d'un rire si énorme, si irrésistible,
20 qu'il parvint aux oreilles du maître, qui passait par là.

Il s'enquit de[4] la bonne histoire qui faisait rire ses gens et, quand il sut l'aventure, il vint, lui aussi, glisser un œil par la même fente et y prit un grand plaisir, sur quoi, il fut lui-même saisi d'un large rire, tellement qu'il en avait mal au ventre ;
25 et, se faisant ouvrir la chambre, il vient se poster à côté de moi pour voir la chose de près. Et moi, m'apercevant que la fortune[5] recommençait à me sourire, au moins sur un point, rassuré par la joie dont témoignaient tous les assistants, je ne fus pas le moins du monde ému mais je continuai à manger, tran-
30 quillement, jusqu'au moment où le maître, réjoui par la nouveauté du spectacle, me fit conduire, que dis-je ? me mena de ses propres mains dans la salle à manger et plaça devant moi une table où il fit servir toutes sortes de viandes entières et des plats non entamés. Et moi, bien que j'eusse déjà pris une
35 belle ventrée, comme je désirais pourtant lui plaire et me faire bien voir de lui, j'attaquai avec appétit les nourritures que l'on m'avait servies. On fit de son mieux pour imaginer des mets qu'un âne peut avoir en particulière horreur, afin de se rendre compte jusqu'à quel point j'étais apprivoisé et l'on m'offrit de
40 la sorte des viandes marinées au silphium[6], des volailles prépa-rées au poivre, des poissons baignant dans une sauce exotique. Pendant ce temps, tous les convives riaient bruyamment. Enfin, un joyeux drille, qui était là, s'écria : « Donnez un peu de vin pur au camarade ! » L'avis plut au maître qui répondit : « Pas
45 si bête, ta plaisanterie, vaurien ; il est fort possible que notre convive accepte volontiers une coupe de vin au miel. » Puis : « Hé, petit, dit-il, rince soigneusement le canthare[7] d'or

---

3. Bête de charge, qui porte des fardeaux.
4. Il s'informa sur.
5. Chance.

6. Condiment tiré d'une herbe et dont l'espèce a disparu dès l'antiquité.
7. Récipient.

que voici, remplis-le de vin miellé dans la bonne proportion
et offre-le à mon parasite[8] ; en même temps, dis-lui bien que
50  j'ai bu à sa santé ! »

Aussitôt, tout le monde, à table, fut saisi d'une vive curiosité. Mais moi, nullement ému, je pris mon temps et, arron-
dissant ma lèvre inférieure avec autant de grâce que possible,
à la façon d'une langue, je vidai cette énorme coupe d'un seul
55  trait. Alors, ce ne fut qu'un cri et tous, d'une même voix, me
saluèrent de leurs vivats.

Le maître, lui, était au comble de la joie ; il appela les esclaves
qui m'avaient acheté, donna l'ordre qu'on leur remboursât au
quadruple[9] ce que j'avais coûté et me confia à l'un de ses affran-
60  chis favoris, lui versant une bonne provision[10] et lui recom-
mandant de prendre bien soin de moi.

Cet homme me traitait avec beaucoup de bonté et de douceur
et, pour se faire bien voir de son patron, s'ingéniait à m'en-
seigner de jolis tours susceptibles de lui faire plaisir. D'abord,
65  il m'apprit à m'installer sur un lit de table en m'appuyant sur
le coude, puis à lutter et même à danser en levant en l'air les
pattes de devant et, prodige étonnant entre tous, à répondre
aux paroles par un signe de tête : pour dire non, rejeter la
tête en arrière, pour dire oui, l'incliner en avant ; si j'avais soif,
70  regarder l'échanson[11] et cligner alternativement des yeux afin
de demander à boire. Pour tout cela, j'étais d'autant plus facile
à dresser que, naturellement, je l'aurais fait même sans que
l'on me l'apprît. Mais j'avais peur si j'affichais, par trop, sans
maître, les manières d'un homme, que l'on ne voulût voir là
75  un présage funeste[12] et que, me considérant comme un être
monstrueux et une manifestation surnaturelle, l'on ne m'égor-
geât et l'on ne m'abandonnât pour engraisser les vautours.

---

8. Pique-assiette. Désigne l'âne qui s'est
fait inviter à la fête.
9. Multiplié par quatre.

10. Une belle somme d'argent.
11. Domestique chargé de verser à boire.
12. Mauvais.

Déjà le bruit s'était répandu partout, et mes talents étonnants
avaient attiré l'attention sur mon maître et l'avaient rendu
80  célèbre : « C'est lui, disait-on, qui a comme camarade et compagnon de table un âne qui lutte, un âne qui danse, un âne qui
comprend la parole humaine, qui sait s'exprimer avec des
signes de tête. »

Apulée, *L'Âne d'or ou les Métamorphoses*,
traduit par Pierre Grimal, Éd. Gallimard.

# Repérer et analyser

## Le genre de l'extrait, l'auteur, le narrateur

L'auteur est la personne qui a écrit le texte, le narrateur est celui à qui l'auteur confie le soin de raconter l'histoire.

**1** Quel est le genre de l'extrait ? Appuyez-vous sur l'introduction au texte.

**2** Qui a écrit ce texte ? Dans quelle langue ? À quelle époque ?

**3** Précisez l'identité du narrateur. Par quel pronom personnel est-il désigné ?

## Le cadre

**4** Relevez les indices qui permettent de situer l'histoire racontée à l'époque romaine.

## La progression du récit

**5** **a.** Quelle est la situation de l'âne au début de l'extrait ? Que recherchent les esclaves ?

**b.** Citez les deux indices qui portent les soupçons des esclaves sur l'âne (l. 1 à 20) ?

**c.** Que découvrent-ils ? Dans les lignes 13 à 20, relevez :
– un adjectif qui traduit les sentiments des esclaves ;
– deux adjectifs caractérisant le spectacle qui s'offre à leurs yeux.

**6** Qu'advient-il ensuite de l'âne ?

## La fiction animale

### La métamorphose

**7** En quoi l'âne se comporte-t-il comme un humain ? Pour répondre, dites :

**a.** quels tours l'affranchi enseigne à l'âne (l. 64) et pourquoi l'animal est-il si facile à dresser ;

**b.** quels sont les mets dont il se nourrit (relevez le champ lexical de la nourriture) ;

**c.** quels sont ses sentiments : pour quelle raison continue-t-il à manger alors qu'il a été découvert ? Que craint-il (l. 73 à la fin) ?

# Étudier la langue

**8** Qu'est-ce qu'un affranchi (l. 59-60) dans la civilisation romaine ? À quel autre terme du texte pouvez-vous opposer ce mot ?

# Écrire

**Le récit à la première personne**

**9** L'âne redevient un beau jeune homme. Racontez la scène de sa métamorphose. Vous commencerez votre récit par cette phrase du texte d'origine : « Immédiatement, se détache de moi l'apparence horrible de la bête ; d'abord, mon poil hérissé s'en alla, puis c'est ma peau épaisse qui s'amincit... »

# Se documenter

**La métamorphose animale**

**10** Citez, dans l'œuvre de Charles Perrault, un conte où l'on voit un être humain métamorphosé en animal ou inversement.

## Jean de La Fontaine
# L'Âne et le Chien

*La Fontaine (1621-1695) est un auteur du XVII<sup>e</sup> siècle. Il est célèbre pour ses* Fables, *parues entre 1668 et 1694, dans lesquelles il met en scène des animaux personnifiés pour faire passer une leçon de morale.*

Il se faut entr'aider ; c'est la loi de nature.
    L'Âne un jour pourtant s'en moqua ;
    Et ne sais[1] comme il y manqua,
    Car il est bonne créature.
5  Il allait par pays, accompagné du Chien,
    Gravement, sans songer à rien,
    Tous deux suivis d'un commun[2] maître.
    Ce maître s'endormit : l'Âne se mit à paître.
    Il était alors dans un pré
10     Dont l'herbe était fort à son gré.
Point de chardons pourtant ; il s'en passa pour l'heure[3] :
Il ne faut pas toujours être si délicat[4] ;
    Et faute de servir ce plat,
    Rarement un festin demeure[5].
15     Notre Baudet s'en sut enfin
Passer[6] pour cette fois. Le Chien, mourant de faim,
Lui dit : « Cher compagnon, baisse-toi, je te prie ;
Je prendrai mon dîner dans le panier au pain. »
Point de réponse, mot[7] : le Roussin d'Arcadie[8]

---

**1.** Je ne sais.
**2.** Même.
**3.** Pour le moment.
**4.** Exigeant.

**5.** Et même si ce plat ne figure pas au menu, il est rare qu'un festin ne soit pas mangé.

**6.** Parvint à s'en passer.
**7.** Pas un mot.
**8.** L'Âne.

20      Craignit qu'en perdant un moment
         Il ne perdît un coup de dent.
         Il fit longtemps la sourde oreille.
     Enfin, il répondit : « Ami, je te conseille
     D'attendre que ton maître ait fini son sommeil,
25  Car il te donnera, sans faute, à son réveil,
         Ta portion accoutumée.
         Il ne saurait tarder beaucoup. »
         Sur ces entrefaites, un loup
     Sort du bois, et s'en vient : autre bête affamée.
30  L'Âne appelle aussitôt le Chien à son secours.
     Le Chien ne bouge[9], et dit : « Ami, je te conseille
     De fuir en attendant que ton maître s'éveille ;
     Il ne saurait tarder ; détale vite, et cours.
     Que si ce Loup t'atteint, casse-lui la mâchoire.
35  On t'a ferré de neuf[10] ; et, si tu me veux croire,
     Tu l'étendras tout plat. » Pendant ce beau discours,
     Seigneur Loup étrangla le Baudet sans remède[11].
         Je conclus qu'il faut qu'on s'entr'aide.

Jean de La Fontaine,
*Fables*, livres VII à XII.

9. Ne bouge pas.
10. Les fers sous les sabots de l'âne sont neufs.
11. De façon définitive.

# Repérer et analyser

## Le genre du texte

**1** Quel est le genre du texte ? Justifiez votre réponse.
**2** Quels sont les deux types de vers utilisés ? Pour répondre, comptez leur nombre de syllabes.

## La progression du récit

**3** En complétant les phrases suivantes, établissez le plan de la fable.
• *Situation de départ (v. ... à ....) :* un âne, son maître et un chien ... .
• *Événements successifs (v. ... à ...) :* le maître ...; l'âne ...; le chien ...; l'âne ...; un loup ...; l'âne ...; le chien ... .
• *Dénouement (v. ... à ...) :* le loup ... .

## Les relations entre les personnages

**4** Pourquoi l'âne ne répond-il pas à la demande du chien ?
Citez une phrase dans laquelle le narrateur lui-même donne une explication.
**5** Comment le chien répond-il à l'appel au secours de l'âne ? Pourquoi ?

## La fiction animale

### La personnification

**6** Qui sont les animaux personnifiés dans cette fable ? À quels indices le lecteur comprend-il que ces bêtes sont personnifiées ?
**7** Le Chien, notre Baudet, l'Âne, ce Loup : pourquoi ces noms d'animaux s'écrivent-ils ici avec une majuscule ?
**8** Pour quelle raison, dans l'expression « un loup » (v. 28), l'auteur écrit-il le nom « loup » avec une minuscule ?

### La morale

La morale est une leçon de morale que l'on peut tirer d'une fable ou d'un récit.

**9 a.** Relevez deux phrases où s'exprime la morale de cette fable : où se trouvent-elles ? Laquelle sert d'introduction ? de conclusion ?

**b.** Dans laquelle des deux phrases l'auteur s'exprime-t-il en son nom ? Relevez un pronom personnel à l'appui de votre réponse.

**c.** Quel est le sens de cette morale ?

## La visée

**10** Quelles sont les visées de la fable ? Précisez l'intention de La Fontaine. Quelles réactions cherche-t-il à éveiller chez le lecteur ?

# Écrire

## La fable

**11** En vous inspirant de La Fontaine, composez une autre fable qui illustre la morale de *L'Âne et le Chien* : choisissez trois ou quatre personnages ; imaginez une situation de départ, une suite d'événements, un dénouement ; rédigez sous forme d'une fable.

# Comparer

**12** Comparez la fiction animale dans *Le Roman de Renart* et dans la fable *L'Âne et le Chien*. Vous examinerez successivement la forme des deux textes, le rôle du narrateur, la visée du texte (amuser, donner une leçon de morale, critiquer les conduites humaines à travers la fiction animale).

Marcel Aymé

# La patte du chat

*Marcel Aymé (1902-1967) est un écrivain français. Il a créé dans ses* Contes du chat perché *(1934) une œuvre pleine de fantaisie et de fraîcheur. Dans chaque conte, le lecteur retrouve toute une famille de personnages : Delphine et Marinette, leurs parents, le chat et tous les animaux de la ferme.*

Le soir, comme ils rentraient des champs, les parents trouvent le chat sur la margelle[1] du puits où il était occupé à faire sa toilette.

– Allons, dirent-ils, voilà le chat qui passe sa patte par-dessus son oreille. Il va encore pleuvoir demain.

5 En effet, le lendemain, la pluie tomba toute la journée. Il ne fallait pas penser à aller aux champs. Fâchés de ne pouvoir mettre le nez dehors, les parents étaient de mauvaise humeur et peu patients avec leurs deux filles. Delphine, l'aînée, et Marinette, la plus blonde, jouaient dans la cuisine à pigeon-

10 vole, aux osselets, au pendu, à la poupée et à loup-y-es-tu.

– Toujours jouer, grommelaient les parents, toujours s'amuser. Des grandes filles comme ça. Vous verrez que quand elles auront dix ans, elles joueront encore. Au lieu de s'occuper à un ouvrage de couture ou d'écrire à leur oncle Alfred.

15 Ce serait pourtant bien plus utile.

Quand ils en avaient fini avec les petites, les parents s'en prenaient au chat qui, assis sur la fenêtre, regardait pleuvoir.

– C'est comme celui-là. Il n'en fait pas lourd non plus dans une journée. Il ne manque pourtant pas de souris qui trot-

20 tent de la cave au grenier. Mais Monsieur aime mieux se laisser nourrir à ne rien faire. C'est moins fatigant.

– Vous trouvez toujours à redire à tout, répondait le chat.

---

| **1.** Le rebord.

La journée est faite pour dormir et pour se distraire. La nuit, quand je galope à travers le grenier, vous n'êtes pas derrière
25 moi pour me faire des compliments.

– C'est bon. Tu as toujours raison, quoi.

Vers la fin de l'après-midi, la pluie continuait à tomber et, pendant que les parents étaient occupés à l'écurie, les petites se mirent à jouer autour de la table.

30 – Vous ne devriez pas jouer à ça, dit le chat. Ce qui va arriver, c'est que vous allez encore casser quelque chose. Et les parents vont crier.

– Si on t'écoutait, répondit Delphine, on ne jouerait jamais à rien.

35 – C'est vrai, approuva Marinette. Avec Alphonse (c'était le nom qu'elles avaient donné au chat), il faudrait passer son temps à dormir.

Alphonse n'insista pas et les petites se remirent à courir. Au milieu de la table, il y avait un plat en faïence qui était dans
40 la maison depuis cent ans et auquel les parents tenaient beaucoup. En courant, Delphine et Marinette empoignèrent un pied de la table, qu'elles soulevèrent sans y penser. Le plat en faïence glissa doucement et tomba sur le carrelage où il fit plusieurs morceaux. Le chat, toujours assis sur la fenêtre, ne
45 tourna même pas la tête. Les petites ne pensaient plus à courir et avaient très chaud aux oreilles.

– Alphonse, il y a le plat en faïence qui vient de se casser. Qu'est-ce qu'on va faire ?

– Ramassez les débris et allez les jeter dans un fossé. Les
50 parents ne s'apercevront peut-être de rien. Mais non, il est trop tard. Les voilà qui rentrent.

En voyant les morceaux du plat en faïence, les parents furent si en colère qu'ils se mirent à sauter comme des puces au travers de la cuisine.

55 – Malheureuses ! criaient-ils, un plat qui était dans la famille depuis cent ans ! Et vous l'avez mis en morceaux ! Vous n'en

ferez jamais d'autres, deux monstres que vous êtes. Mais vous serez punies. Défense de jouer et au pain sec !

Jugeant la punition trop douce, les parents s'accordèrent un temps de réflexion et reprirent, en regardant les petites avec des sourires cruels :

– Non, pas de pain sec. Mais demain, s'il ne pleut pas... demain... ha ! ha ! ha ! demain, vous irez voir la tante Mélina !

Delphine et Marinette étaient devenues très pâles et joignaient les mains avec des yeux suppliants.

– Pas de prière qui tienne ! S'il ne pleut pas, vous irez chez la tante Mélina lui porter un pot de confiture.

La tante Mélina était une très vieille et très méchante femme, qui avait une bouche sans dents et un menton plein de barbe. Quand les petites allaient la voir dans son village, elle ne se lassait pas de les embrasser, ce qui n'était déjà pas très agréable, à cause de la barbe, et elle en profitait pour les pincer et leur tirer les cheveux. Son plaisir était de les obliger à manger d'un pain et d'un fromage qu'elle avait mis à moisir en prévision de leur visite. En outre, la tante Mélina trouvait que ses deux petites nièces lui ressemblaient beaucoup et affirmait qu'avant la fin de l'année elles seraient devenues ses deux fidèles portraits, ce qui était effrayant à penser.

– Pauvres enfants, soupira le chat. Pour un vieux plat déjà ébréché, c'est être bien sévère.

– De quoi te mêles-tu ? Mais, puisque tu les défends, c'est peut-être que tu les as aidées à casser le plat ?

– Oh ! non, dirent les petites. Alphonse n'a pas quitté la fenêtre.

– Silence ! Ah ! vous êtes bien tous les mêmes. Vous vous soutenez tous. Il n'y en a pas un pour racheter l'autre. Un chat qui passe ses journées à dormir...

– Puisque vous le prenez sur ce ton-là, dit le chat, j'aime mieux m'en aller. Marinette, ouvre-moi la fenêtre.

90     Marinette ouvrit la fenêtre et le chat sauta dans la cour. La pluie venait juste de cesser et un vent léger balayait les nuages.

    – Le ciel est en train de se ressuyer, firent observer les parents avec bonne humeur. Demain, vous aurez un temps superbe pour aller chez la tante Méline. C'est une chance. Allons,
95 assez pleuré ! Ce n'est pas ça qui raccommodera le plat. Tenez, allez plutôt chercher du bois dans la remise.

    Dans la remise, les petites retrouvèrent le chat installé sur la pile de bois. À travers ses larmes, Delphine le regardait faire sa toilette.

100     – Alphonse, lui dit-elle avec un sourire joyeux qui étonna sa sœur.

    – Quoi donc, ma petite fille ?

    – Je pense à quelque chose. Demain, si tu voulais, on n'irait pas chez la tante Méline.

105     – Je ne demande pas mieux, mais tout ce que je peux dire aux parents n'empêchera rien, malheureusement.

    – Justement, tu n'aurais pas besoin des parents. Tu sais ce qu'ils ont dit ? Qu'on irait chez la tante Méline s'il ne pleuvait pas.

110     – Alors ?

    – Eh bien ! tu n'aurais qu'à passer ta patte derrière ton oreille. Il pleuvrait demain et on n'irait pas chez la tante Méline.

    – Tiens, c'est vrai, dit le chat, je n'y aurais pas pensé. Ma foi, c'est une bonne idée.

115     Il se mit aussitôt à passer la patte derrière son oreille. Il la passa plus de cinquante fois.

    – Cette nuit, vous pourrez dormir tranquillement. Il pleuvra demain à ne pas mettre un chien dehors.

    Pendant le dîner, les parents parlèrent beaucoup de la tante
120 Méline. Ils avaient déjà préparé le pot de confiture qu'ils lui destinaient.

    Les petites avaient du mal à garder leur sérieux et, plusieurs fois, en rencontrant le regard de sa sœur, Marinette fit semblant

de s'étrangler pour dissimuler qu'elle riait. Quand vint le
125 moment d'aller se coucher, les parents mirent le nez à la fenêtre.

– Pour une belle nuit, dirent-ils, c'est une belle nuit. On n'a
peut-être jamais tant vu d'étoiles au ciel. Demain, il fera bon
d'aller sur les routes.

Mais le lendemain, le temps était gris et, de bonne heure, la
130 pluie se mit à tomber. « Ce n'est rien, disaient les parents, ça
ne peut pas durer. » Et ils firent mettre aux petites leur robe
du dimanche et un ruban rose dans les cheveux. Mais il plut
toute la matinée et l'après-midi jusqu'à la tombée du soir. Il
avait bien fallu ôter les robes du dimanche et les rubans roses.
135 Pourtant, les parents restaient de bonne humeur.

– Ce n'est que partie remise. La tante Mélina, vous irez la
voir demain. Le temps commence à s'éclaircir. En plein mois
de mai, ce serait quand même bien étonnant s'il pleuvait trois
jours d'affilée[2].

140 Ce soir-là, en faisant sa toilette, le chat passa encore la patte
derrière son oreille et le lendemain fut jour de pluie. Pas plus
que la veille, il ne pouvait être question d'envoyer les petites
chez la tante Mélina. Les parents commençaient à être de
mauvaise humeur. À l'ennui de voir la punition retardée par
145 le mauvais temps s'ajoutait celui de ne pas pouvoir travailler
aux champs. Pour un rien, ils s'emportaient contre leurs filles
et criaient qu'elles n'étaient bonnes qu'à casser des plats. « Une
visite à la tante Mélina vous fera du bien, ajoutaient-ils. Au
premier jour de beau temps, vous y filerez depuis le grand
150 matin. » Dans un moment où leur colère tournait à l'exaspé-
ration, ils tombèrent sur le chat, l'un à coups de balai, l'autre
à coups de sabot, en le traitant d'inutile et de fainéant.

– Oh ! oh ! dit le chat, vous êtes plus méchants que je ne
pensais. Vous m'avez battu sans raison, mais, parole de chat,
155 vous vous repentirez[3].

---

| **2.** De suite. | **3.** Vous le regretterez.

Sans cet incident, provoqué par les parents, le chat se fût bientôt lassé de faire pleuvoir, car il aimait à grimper aux arbres, à courir par les champs et par les bois, et il trouvait excessif de se condamner à ne plus sortir pour éviter à ses
160 amies l'ennui d'une visite à la tante Mélina. Mais il gardait des coups de sabot et des coups de balai un souvenir si vif que les petites n'eurent plus besoin de le prier pour qu'il passât sa patte derrière son oreille. Il en faisait désormais une affaire personnelle. Pendant huit jours d'affilée, il plut sans arrêt, du
165 matin au soir. Les parents, obligés de rester à la maison et voyant déjà leurs récoltes pourrir sur pied, ne décoléraient plus. Ils avaient oublié le plat en faïence et la visite à la tante Mélina, mais, peu à peu, ils se mirent à regarder le chat de travers. À chaque instant, ils tenaient à voix basse de longs
170 conciliabules[4] dont personne ne put deviner le secret.

Un matin, de bonne heure, on était au huitième jour de pluie, et les parents se préparaient à aller à la gare, malgré le mauvais temps, expédier des sacs de pommes de terre à la ville. En se levant, Delphine et Marinette les trouvèrent dans
175 la cuisine occupés à coudre un sac. Sur la table, il y avait une grosse pierre qui pesait au moins trois livres. Aux questions que firent les petites, ils répondirent, avec un air un peu embarrassé, qu'il s'agissait d'un envoi à joindre aux sacs de pommes de terre. Là-dessus, le chat fit son entrée dans la
180 cuisine et salua tout le monde poliment.

– Alphonse, lui dirent les parents, tu as un bon bol de lait frais qui t'attend près du fourneau.

– Je vous remercie, parents, vous êtes bien aimables, dit le chat, un peu surpris de ces bons procédés auxquels il n'était
185 plus habitué.

Pendant qu'il buvait son bol de lait frais, les parents le saisirent chacun par deux pattes, le firent entrer dans le sac

| **4.** Conversations.

la tête la première et, après y avoir introduit la grosse pierre
de trois livres, fermèrent l'ouverture avec une forte ficelle.

190    – Qu'est-ce qui vous prend ? criait le chat en se débattant à
l'intérieur du sac. Vous perdez la tête, parents !

– Il nous prend, dirent les parents, qu'on ne veut plus d'un
chat qui passe sa patte derrière son oreille tous les soirs. Assez
de pluie comme ça. Puisque tu aimes tant l'eau, mon garçon,

195    tu vas en avoir tout ton saoul[5]. Dans cinq minutes, tu feras
ta toilette au fond de la rivière.

Delphine et Marinette se mirent à crier qu'elles ne laisseraient
pas jeter Alphonse à la rivière. Les parents criaient que rien
ne saurait les empêcher de noyer une sale bête qui faisait pleu-

200    voir. Alphonse miaulait et se démenait dans sa prison comme
un furieux. Marinette l'embrassait à travers la toile du sac et
Delphine suppliait à genoux qu'on laissât la vie à leur chat.
« Non, non ! répondaient les parents avec des voix d'ogres, pas
de pitié pour les mauvais chats ! » Soudain, ils s'avisèrent qu'il

205    était presque huit heures et qu'ils allaient arriver en retard à
la gare. En hâte, ils agrafèrent[6] leurs pèlerines[7], relevèrent leurs
capuchons et dirent aux petites avant de quitter la cuisine :

– On n'a plus le temps d'aller à la rivière maintenant. Ce
sera pour midi, à notre retour. D'ici là, ne vous avisez pas d'ou-

210    vrir le sac. Si jamais Alphonse n'était pas là à midi, vous parti-
riez aussitôt chez la tante Mélina pour six mois et peut-être
pour la vie.

Les parents ne furent pas plus tôt sur la route que Delphine
et Marinette dénouèrent la ficelle du sac. Le chat passa la

215    tête par l'ouverture et leur dit :

– Petites, j'ai toujours pensé que vous aviez des cœurs d'or.
Mais je serais un bien triste chat si j'acceptais, pour me sauver,
de vous voir passer six mois et peut-être plus chez la tante
Mélina. À ce prix-là, j'aime cent fois mieux être jeté à la rivière.

---

| **5.** Tant que tu veux.    | **6.** Fermèrent.    | **7.** Manteaux.

220  – La tante Mélina n'est pas si méchante qu'on le dit et six mois seront vite passés.

Mais le chat ne voulut rien entendre et, pour bien marquer que sa résolution était prise, il rentra sa tête dans le sac. Pendant que Delphine essayait encore de le persuader, Mari-
225 nette sortit dans la cour et alla demander conseil au canard qui barbotait sous la pluie, au milieu d'une flaque d'eau. C'était un canard avisé et qui avait beaucoup de sérieux. Pour mieux réfléchir, il cacha sa tête sous son aile.

– J'ai beau me creuser la cervelle, dit-il enfin, je ne vois pas
230 le moyen de décider Alphonse à sortir de son sac. Je le connais, il est entêté. Si on le fait sortir de force, rien ne pourra l'empêcher de se présenter aux parents à leur retour. Sans compter que je lui donne entièrement raison. Pour ma part, je ne vivrais pas en paix avec ma conscience si vous étiez obligées, par ma
235 faute, d'obéir à la tante Mélina.

– Et nous, alors ? Si Alphonse est noyé, est-ce que notre conscience ne nous fera pas de reproches ?

– Bien sûr, dit le canard, bien sûr. Il faudrait trouver quelque chose qui arrange tout. Mais j'ai beau chercher, je ne vois vrai-
240 ment rien.

Marinette eut l'idée de consulter les bêtes de la ferme et, pour ne pas perdre de temps, elle décida de faire entrer tout ce monde dans la cuisine. Le cheval, le chien, les bœufs, les vaches, le cochon, les volailles vinrent s'asseoir chacun à la
245 place que lui désignaient les petites. Le chat, qui se trouvait au milieu du cercle ainsi formé, consentit à sortir la tête du sac, et le canard, qui se tenait auprès de lui, prit la parole pour mettre les bêtes au courant de la situation. Quand il eut fini, chacun se mit à réfléchir en silence.

250  – Quelqu'un a-t-il une idée ? demanda le canard.

Marcel Aymé, « La patte du chat »,
*Les contes rouges du chat perché*, Éd. Gallimard.

# Repérer et analyser

## La progression du récit et les personnages

**1** Quels reproches les parents adressent-ils aux deux fillettes et au chat au début de l'extrait (l. 11 à 21) ?

**2** Quel événement déclenche l'action ?

**3** Par quelle ruse Alphonse évite-t-il aux enfants de partir chez leur tante Mélina ? Qui a eu cette idée ?

**4** Quel piège les parents tendent-ils à Alphonse ?

**5** Pourquoi Marinette réunit-elle tous les animaux de la ferme ?

**6** Quels personnages s'affrontent dans cet extrait ? Quels personnages cherchent à s'entraider ?

**7** Quel est le type de phrases utilisé l. 55 à 67 par les parents de Delphine et Marinette : quels sentiments ces phrases traduisent-elles ?

**8** Pourquoi les enfants n'aiment-elles pas leur tante Mélina ?

## La fiction animale

**9** Faites la liste des animaux. En quoi sont-ils personnifiés ?

**10** Quel pouvoir surnaturel le chat détient-il ?

# Étudier la langue

**11** « Les parents [...] ne décoléraient plus » (l. 165 à 167). Donnez l'infinitif du verbe puis expliquez sa formation (sens du préfixe et du radical). Donnez sa définition puis utilisez-le dans une phrase qui aura pour sujet : « Alphonse ».

# S'exprimer

**12** Les animaux de la ferme sont réunis : chacun donne son avis et propose une solution. Imaginez un dialogue.

# Comparer

**13** Comparez Alphonse et Tibert (*Le Roman de Renart*, p. 38). Vous préciserez le caractère et le comportement de ces deux chats.

## Pierre Boulle
# La Planète des singes

*Pierre Boulle (1912-1994) est un écrivain français. Son roman,* La Planète des singes *(1963), est considéré comme l'un des chefs-d'œuvre de la science-fiction française.*

*Le professeur Antelle, Arthur Levain son second et le journaliste Ulysse Mérou sont partis pour une aventure spatiale. Fait prisonnier sur la planète Soror, dominée par une société animale composée de singes, Ulysse, le narrateur, est enfermé dans une cage, avec d'autres captifs.*

On nous laissa tranquilles le reste de la journée. Le soir, après nous avoir servi un autre repas, les gorilles se retirèrent en éteignant les lumières. Je dormis peu cette nuit-là, non à cause de l'inconfort de la cage – la litière était épaisse et formait une
5  couche acceptable – mais je n'en finissais pas d'imaginer des plans pour entrer en communication avec les singes. Je me promis de ne plus me laisser aller à la colère, mais de rechercher avec une patience inlassable toutes les occasions de montrer mon esprit. Les deux gardiens à qui j'avais eu affaire
10 étaient probablement des subalternes bornés, incapables d'interpréter mes initiatives ; mais il devait exister d'autres singes plus cultivés.

Je m'aperçus, dès le lendemain matin, que cet espoir n'était pas vain. J'étais éveillé depuis une heure. La plupart de mes
15 compagnons tournaient sans arrêt dans leur cage, à la manière de certains animaux captifs. Quand je réalisai que je faisais comme eux, depuis déjà un long moment et à mon insu, j'en conçus du dépit[1] et me forçai à m'asseoir devant la grille,

---

| **1.** J'en fus mécontent, déçu, honteux.

en prenant une attitude aussi humaine, aussi pensive que pos-
20 sible. C'est alors que la porte du couloir fut poussée et que
je vis entrer un nouveau personnage, accompagné par les deux
gardiens. C'était un chimpanzé femelle, et je compris qu'elle
occupait un poste important dans l'établissement, à la façon
dont les gorilles s'effaçaient devant elle. Ceux-ci lui avaient
25 certainement fait un rapport sur mon compte car, dès son
entrée, la guenon posa une question à l'un d'eux, qui tendit
le doigt dans ma direction. Alors, elle se dirigea directement
vers ma cage.

Je l'observai avec attention tandis qu'elle s'approchait. Elle
30 était vêtue, elle aussi, d'une blouse blanche, de coupe plus
élégante que celle des gorilles, serrée à la taille par une cein-
ture, et dont les manches courtes révélaient deux longs bras
agiles. Ce qui me frappa surtout en elle, ce fut son regard,
remarquablement vif et intelligent. J'en augurai[2] du bien pour
35 nos futures relations. Elle me parut très jeune, malgré les rides
de sa condition simienne[3] qui encadraient son museau blanc.
Elle tenait à la main une serviette[4] de cuir.

Elle s'arrêta devant ma cage et commença à m'examiner,
tout en sortant un cahier de sa serviette.
40 « Bonjour, madame », dis-je en m'inclinant.

J'avais parlé de ma voix la plus douce. La face de la guenon
exprima une intense surprise, mais elle conserva son sérieux,
imposant même silence, d'un geste autoritaire, aux gorilles
qui recommençaient à ricaner.
45 « Madame ou mademoiselle, continuai-je encouragé, je
regrette de vous être présenté dans de telles conditions et dans
ce costume. Croyez bien que je n'ai pas l'habitude... »

Je disais encore n'importe quelles bêtises, cherchant seulement des paroles en harmonie avec le ton civil[5] auquel j'avais

| **2.** Imaginai.    | **3.** De singe.    | **4.** Un cartable.    | **5.** Poli.

50 décidé de me tenir. Quand je me tus, ponctuant mon discours par le plus aimable des sourires, son étonnement se changea en stupeur. Ses yeux clignotèrent plusieurs fois et les rides de son front se plissèrent. Il est évident qu'elle cherchait avec passion la solution difficile d'un problème. Elle me sourit à
55 son tour et j'eus l'intuition[6] qu'elle commençait à soupçonner une partie de la vérité.

Pendant cette scène, les hommes des cages nous observaient sans manifester cette fois la hargne[7] que le son de ma voix provoquait chez eux. Ils donnaient des signes de curiosité.
60 L'un après l'autre, ils cessèrent leur ronde fébrile[8] pour venir coller leur visage contre les barreaux, afin de mieux nous voir. Seule, Nova[9] paraissait furieuse et s'agitait sans cesse.

La guenon sortit un stylo de sa poche et écrivit plusieurs lignes dans son cahier. Puis, relevant la tête et rencontrant
65 encore mon regard anxieux[10], elle sourit de nouveau. Ceci m'encouragea à faire une autre avance amicale. Je tendis un bras vers elle à travers la grille, la main ouverte. Les gorilles sursautèrent et eurent un mouvement pour s'interposer. Mais la guenon, dont le premier réflexe avait été tout de même de
70 reculer, se reprit, les arrêta d'un mot et, sans cesser de me fixer, avança elle aussi son bras velu, un peu tremblant, vers le mien. Je ne bougeai pas. Elle s'approcha encore et posa sa main aux doigts démesurés sur mon poignet. Je la sentis frémir à ce contact. Je m'appliquai à ne faire aucun mouvement qui pût
75 l'effrayer. Elle me tapota la main, me caressa le bras, puis se tourna vers ses assistants d'un air triomphant.

J'étais haletant d'espoir, de plus en plus convaincu qu'elle commençait à reconnaître ma noble essence. Quand elle parla impérieusement à l'un des gorilles, j'eus la folie d'espérer

---

**6.** Le sentiment.
**7.** Colère.
**8.** Nerveuse, agitée.
**9.** Créature d'apparence humaine mais restée à l'état sauvage. Elle a été faite prisonnière en même temps que les explorateurs.
**10.** Inquiet.

80  que ma cage allait être ouverte, avec des excuses. Hélas ! Il n'était pas question de cela ! Le gardien fouilla dans sa poche et en sortit un petit objet blanc, qu'il tendit à sa patronne. Celle-ci me le mit elle-même dans la main avec un charmant sourire. C'était un morceau de sucre.

85  Un morceau de sucre ! Je tombais de si haut, je me sentis d'un coup si découragé devant l'humiliation de cette récompense que je faillis le lui jeter à la face. Je me rappelai juste à temps mes bonnes résolutions et me contraignis à rester calme. Je pris le sucre, m'inclinai et le croquai d'un air aussi intelli-
90  gent que possible.

Tel fut mon premier contact avec Zira. Zira était le nom de la guenon, comme je l'appris bientôt. Elle était le chef de service où j'avais été amené. Malgré ma déception finale, ses façons me donnaient beaucoup d'espoir et j'avais l'intuition que je
95  parviendrais à entrer en communication avec elle. Elle eut une longue conversation avec les gardiens et il me sembla qu'elle leur donnait des instructions à mon sujet. Ensuite, elle continua sa tournée, inspectant les autres occupants des cages.

Elle examinait avec attention chacun des nouveaux venus
100 et prenait quelques notes, plus succinctes[11] que pour moi. Jamais elle ne se risqua à toucher l'un d'eux. Si elle l'avait fait, je crois que j'aurais été jaloux. Je commençais à ressentir l'orgueil d'être le sujet exceptionnel qui, seul, mérite un traitement privilégié. Quand je la vis s'arrêter devant les enfants et
105 leur lancer, à eux aussi, des morceaux de sucre, j'en éprouvai un violent dépit ; un dépit au moins égal à celui de Nova qui, après avoir montré les dents à la guenon, s'était couchée, de rage, au fond de sa cage et me tournait le dos.

Pierre Boulle, *La Planète des singes*, Éd. Julliard.

# Repérer et analyser

## Le narrateur et le genre de l'extrait

**1** Qui est le narrateur ? Est-il personnage de l'histoire ?

**2** En quoi cet extrait appartient-il au genre de la science-fiction ?

## Le cadre

**3** Relevez les éléments montrant que l'histoire se déroule à l'époque contemporaine.

**4** Dans quel lieu le narrateur se trouve-t-il ?

## Les personnages

**5** Relevez les termes qui traduisent l'enfermement du narrateur. Quelles réactions cette situation provoque-t-elle chez lui ?

**6** **a.** Qui est Zira ?

**b.** Par quels procédés le narrateur cherche-t-il successivement à faire comprendre qu'il est un homme civilisé ?

**c.** Quel effet ces tentatives produisent-elles sur Zira ?

**7** **a.** Pour quelle raison le narrateur se sent-il humilié (l. 86) ? Quelle est sa réaction ?

**b.** Que cherche-t-il à obtenir de Zira ?

**8** Que fait Zira tout au long de cette scène ? Pour répondre, faites un relevé des verbes d'action.

## La fiction animale

### L'inversion des rôles

**9** **a.** Relevez les indices montrant que le narrateur est traité comme un animal alors que Zira a un comportement humain.

**b.** Quel effet produit cette inversion des rôles sur le lecteur ?

## L'humour

L'humour est une forme d'esprit qui consiste à montrer le caractère comique d'une situation grave.

**10** « Il devait exister d'autres singes plus cultivés » (l. 11-12). Comparez les termes « singes » et « cultivés » : en quoi la phrase est-elle chargée d'humour ?

**11** Relevez au moins un autre trait d'humour dans le texte.

## Les hypothèses de lecture

**12** À quelle suite vous attendez-vous ?

# S'exprimer

### Le récit de science-fiction

**13** Le narrateur parvient à communiquer avec Zira. Un beau jour, la guenon lui demande d'où il vient. Le narrateur explique alors qu'il est un homme et qu'il vient de la terre. Il commence son récit par ces mots :

« Je viens d'une planète lointaine, de la Terre où, par une fantaisie encore inexplicable de la nature, ce sont les hommes qui détiennent la sagesse et la raison. »

Continuez cette présentation de la planète Terre.

# Index des rubriques

**Repérer et analyser**

**La situation d'énonciation**
14, 23, 35, 58, 68, 90

**Le cadre** 14, 23, 35, 75, 90, 97, 106, 125

**La progression du récit** 14, 23, 35, 45, 58, 68, 75, 90, 97, 106, 110, 120

**La fiction animale** 14, 23-24, 35-36, 45-46, 51, 58, 68-69, 75, 83-84, 90, 97, 106, 110-111, 120, 125

**La personnification** 14, 75, 83, 110

**Le comique** 15

**La visée** 15, 24, 36, 52, 111

**Les connecteurs** 23

**Les personnages et leurs relations** 23, 45, 51, 58, 68, 110, 120, 125

**Les éléments réalistes** 24, 36, 52, 75, 84, 90

**Le prologue** 35

**Le thème de la faim** 36

**Le narrateur** 45, 83, 97, 106, 125

**L'ironie** 45

**L'infinitif de narration** 46

**La structure du récit** 51

**Argumenter** 58

**Le coup de théâtre** 68

**La satire** 69, 90

**La parodie** 76, 84

**Les forces en présence** 83

**L'épopée** 84

**Les hypothèses de lecture** 84, 98, 126

**Le monologue** 98

**Le genre de l'extrait** 106, 110, 125

**L'auteur** 106

**La morale** 110-111

**L'humour** 125-126

**Se documenter**

**Les renards** 15

**Le Moyen Âge** 25

**Les loups** 37

**Seigneurs et vassaux** 53

**L'adoubement** 76

**La Chanson de Roland** 84

**La métamorphose animale** 107

**S'exprimer**

15, 25, 37, 46, 52, 58, 69, 76, 84, 98, 120, 126

**Étudier la langue**

15, 24, 36, 46, 52, 69, 90, 98, 107, 120

**Écrire**

90, 107, 111

**Comparer**

59, 111, 120

**Créer**

69, 98

**Dessiner**

46

# Table des illustrations

2, h, 9   ph © Archives Hatier.

2, g      Philippe Auguste, 1198. Archives nationales, Paris.
          ph © Giraudon.

2, d      Le Livre de Tristan, XIVe.
          ph © Archives Hatier.

5         Miniature du XIIIe.
          ph © Archives Hatier.

7         ph © Archives Hatier.

13, 29,   ph © Archives Hatier.
34, 57

67        Le jugement de Renart, gravure du XIXe extraite de Reineke Fuchs.
          ph © Archives Hatier.

89        ph © Archives Hatier.

96        Miniature du XIIe. Ms. Bodley 264.
          ph © Bodleian Library, Oxford/Archives Hatier.

101       Frontispice pour les *Fables* de Florian, illustration de Granville, XIXe.
          ph © J.-L. Charmet/Archives Hatier.

105       Apulée: *L'Âne d'or*, frontispice pour une édition de 1635.
          ph © Collection Viollet.

et pages 14, 15, 23, 24, 25, 35, 36, 37, 45, 46, 51, 52, 53, 58, 59, 68, 69, 75, 76, 83,
84, 90, 97, 98, 106, 107, 110, 111, 120, 125, 126 (détail) ph © Archives Hatier

Iconographie : Hatier Illustration

Principe de maquette : Mecano-Laurent Batard

Mise en page : Alinéa

Dépôt légal : 24654 - Mars 2008

Imprimé en France par Hérissey - N° 107689